Dans la même collection
(Extrait du catalogue)

Abé Kôbô
La face d'un autre.
La femme des sables.
L'homme-boîte.
Le plan déchiqueté.

Amado Jorge
La bataille du Petit Trianon.
Cacao.
Les deux morts de Quinquin-la-Flotte.
Le vieux marin.

Anderson Sherwood
Tar.

Ariyoshi Sawako
Kaé ou les deux rivales.
Les dames de Kimoto.
Les années du crépuscule.

Baldwin James
Si Beale Street pouvait parler.
Harlem quartet.

Ballard J.G.
La bonté des femmes.

Barnes Julian
Le perroquet de Flaubert.
Le soleil en face.

Blixen Karen
Sept contes gothiques.

Bounine Ivan
Le monsieur de San Francisco.
Le village.

Brink André
Un turbulent silence.

Čapek Karel
La vie et l'œuvre du compositeur Foltyn.

D'Annunzio Gabriele
Terre vierge.

Desai Anita
Un héritage exorbitant.

Garcia Morales Adelaïda
Le silence des sirènes.

Geiszler Horst
Cher Augustin.

Goytisolo Juan
Paysages après la bataille.

Hackl Erich
Le mobile d'Aurora.

Han Suyin
Ton ombre est la mienne.

Hoffmann E.T.A.
Nouvelles musicales.

Inoué Yasushi
Les chemins du désert.
Combat de taureaux.
Le faussaire.
Le fusil de chasse.
Histoire de ma mère.

Jacobsen Jen Peter
Niels Lyhne.

James Henry
L'autel des morts.
Les papiers de Jeffrey Aspern.
Le regard aux aguets.
Daisy Miller.
Le tour d'écrou.

Johnson Eyvind
Le roman d'Olof.

Kästner Erich
Trois hommes dans la neige.

Kazan Elia
America, America.

Kenzaburo Oé
Une affaire personnelle.

Keysey Ken
Vol au-dessus d'un nid de coucou.

Kivi Aleksis
Les sept frères.

Lagerkvist Pär
Le Bourreau.
Contes cruels.
La mort d'Ahasverus.
Le nain.
La Sybille.
L'exil de la terre.

Lagerlof Selma
L'anneau du pêcheur.
Les écus de Messire Arne.
L'empereur du Portugal.
Jérusalem en Dalécarlie.
Jérusalem en Terre sainte.
La légende de Gösta Berling.

Lange Hartmut
Une fatigue.

Lawrence D.H.
Ile, mon île.
Le renard.

Luxun
Journal d'un fou.

Malerba Luigi
Clopes.
Le feu grégeois.

Mann Thomas
Tonio Kröger.

Mansfield Katherine
Cahier de notes.
La garden party.
Lettres.
Pension allemande.

McCullers Carson
Le cœur hypothéqué.
Frankie Addams.
Reflets dans un œil d'or.
La ballade du café triste.

Miller Henry
Virage à 80.
Max et les phagocytes.
Dimanche après la guerre.
Entretiens de Paris.

Nicolson Nigel
Portrait d'un mariage.

Oates Joyce Carol
Solstice.

O'Brien Edna
Qui étais-tu, Johnny ?

O'Henry
New York tic tac.

Olivia
Olivia par Olivia.

Penn Warren Robert
La grande forêt.

Prawer Jhabvala Ruth
Chaleur et poussière.
La vie comme à Delhi.

Queiroz Rachel de
L'année de la grande sécheresse.

Radičevič Branko
Le trou de la serrure.

Ribeiro Aquilino
Casa Grande.

Rushdie Salman
Les enfants de minuit.

Sackville-West Vita
Escales sans nom.

Savinio Alberto
La maison hantée.

Schnitzler Arthur
Madame Béate et son fils.
Mademoiselle Else.
Mourir.
La pénombre des âmes.
La ronde.
Vienne au crépuscule.
L'étrangère.

Singer Isaac Bashevis
Amour tardif.
La corne du bélier.
Le manoir.
Le domaine.
Ennemies.
Yentl.
L'esclave.

Spark Muriel
Le pisseur de copie.
L'unique problème.
Memento mori.

Tanizaki Junichiro
Deux amours cruelles.

Tolstoï Léon
La mort d'Ivan Ilitch.
Un cas de conscience.

Tolstoï Comte Léon L.
La vérité sur mon père.

Tourguenieff Ivan
L'abandonnée.
L'exécution de Troppmann.
Fumée.
Journal d'un homme de trop.
Dimitri Roudine.

Traven B.
Le visiteur du soir.

Tyler Anne
Toujours partir.

Uhlman Fred
Il fait beau à Paris aujourd'hui.
La lettre de Conrad.

Undset Sigrid
L'âge heureux.
Jenny.
Printemps.
Vigdis la farouche.

Werfel Franz
Le passé ressuscité.

Wiechert Ernst
La servante du passeur.

Wilde Oscar
De profundis.

Wilson Angus
Saturnales.

Wolfe Thomas
De la mort au matin.

Woolf Virginia
Orlando.

Zweig Stefan
Amok.
La confusion des sentiments.
Le joueur d'échecs.

Vingt-quatre heures
de la vie d'une femme

Du même auteur
aux Éditions Stock

Stefan Zweig

Vingt-quatre heures
de la vie d'une femme

roman

TRADUIT DE L'ALLEMAND,
AVEC UNE INTRODUCTION, PAR
OLIVIER BOURNAC
ET
ALZIR HELLA

Bibliothèque cosmopolite
Stock

Introduction

Au début de 1942, la radio de Paris nous annonçait que « l'écrivain juif Stefan Zweig venait de se donner la mort au Brésil » — nouvelle reproduite le lendemain en trois lignes par les journaux nazis de la capitale. Et ce fut ensuite le silence complet sur ce grand et noble écrivain qui avait acquis en France une renommée égale à celle de nos meilleurs auteurs.

*
*   *

Stefan Zweig était né à Vienne, où il fit ses études, le 28 novembre 1881. A vingt-trois ans, il était reçu docteur en philosophie et obtenait le prix de poésie Bauernfeld, une des plus hautes distinctions littéraires de son pays. Il avait alors publié une plaquette de vers et une traduction des meilleures poésies de Verlaine, écrit des nouvelles et une pièce de théâtre. Mais il jugeait «que la littérature n'était pas la vie», qu'elle n'était « qu'un moyen d'exaltation de la vie, un moyen d'en saisir le drame d'une façon plus claire et plus intelligible ». Son ambition était de voyager « de donner à son existence l'amplitude, la plénitude, la force et la connaissance, aussi de la lier à l'essentiel et à la profondeur des choses ». En 1904, il était à Paris, où il séjourna à plusieurs reprises et où il se lia avec les écrivains de l'Abbaye, Jules Romains en particulier, avec qui, plus tard, il devait donner la magnifique adaptation du *Volpone*, que des dizaines de milliers de Parisiens eurent la joie de voir jouer à l'Atelier et dont le succès n'est pas encore épuisé aujourd'hui. Il rendit ensuite visite, dans sa modeste demeure

du Caillou-qui-Bique, en Belgique, à Emile
Verhæren, dont il devint le traducteur et le
biographe. Il vécut à Rome, à Florence, où il
connut Ellen Key, la célèbre authoress sué-
doise, en Provence, en Espagne, en Afrique.
Il visita l'Angleterre, parcourut les Etats-Unis,
le Canada, Cuba, le Mexique. Il passa un an
aux Indes. Ce qui ne l'empêchait pas de pour-
suivre ses travaux littéraires, sans effort, pour-
rait-on penser, puisqu'il dit quelque part :
«Malgré la meilleure volonté, je ne me rappelle
pas avoir travaillé durant cette période. Mais
cela est contredit par les faits, car j'ai écrit
plusieurs livres, des pièces de théâtre qui ont
été jouées sur presque toutes les scènes d'Allemagne et aussi à l'étranger... ».

Les multiples voyages de Zweig devaient
forcément développer en lui l'amour que dès
son adolescence il ressentait pour les lettres
étrangères et surtout pour les lettres françaises.
Cet amour, qui se transforma par la suite en

un véritable culte, il le manifesta par des tra-
ductions remarquables de Baudelaire, Verlaine, Rimbaud, de son ami Verhæren, dont il
fit connaître en Europe centrale les vers
puissants et les pièces de théâtre, de Suarès, de
Romain Roland, sur qui il fut un des premiers,
sinon le premier, à attirer l'attention des pays
de langue allemande et qui eut sur lui une in-
fluence morale considérable.

Ardent pacifiste, type du véritable Européen
— ce vocable qui devait servir les appétits les
plus monstrueux, cacher les crimes les plus
effroyables — Zweig avait été profondément
ulcéré par la guerre de 14-18. En 1919, il se
retirait à Salzbourg, la ville-musée « dont certaines des rues, dit Hermann Bahr — connais-
seur et admirateur, lui aussi, des lettres françaises — vous rappellent Padoue, cependant
que d'autres vous transportent à Hildesheim ».
C'est de Salzbourg, l'ancienne résidence des
princes archevêques, où vécut et mourut

Mozart, qu'il nous envoyait ses messages appelés à faire le tour du monde, ces œuvres si vivantes, si riches d'émotions et de passion et qui ont nom, entre autres, *Vingt-quatre heures de la vie d'une femme*, — dont Gorki a pu dire qu'il lui semblait n'avoir rien lu d'aussi profond, — *Amok*, *la Confusion des Sentiments*, *la Peur*...

En moins de dix ans, Zweig, qui naguère n'avait considéré le travail « que comme un simple rayon de la vie, comme quelque chose de secondaire », publiait une dizaine de nouvelles — la nouvelle allemande a souvent l'importance d'un de nos romans — autant d'essais écrits en une langue puissante sur Dostoïewski, Tolstoï, Nietzsche, Freud, dont il était l'intime, Stendhal, Marceline Desbordes-Valmore, etc... qui témoignent de la plus vaste des cultures et permettent d'affirmer que tous ont trouvé en lui un biographe à leur mesure. Puis, suivit la série de ses écrits historiques, où il acquit d'emblée avec son *Fouché* l'autorité que l'on confère aux maîtres.

*
* *

Hélas ! Hitler et ses nazis s'étaient emparés du pouvoir en Allemagne, les violences contres les réfractaires s'y multipliaient. Bientôt l'Autriche, déjà à demi nazifiée, serait envahie. Zweig part pour l'Angleterre et s'installe à Bath, dans le Somerset. Mais depuis l'abandon de la souriante demeure salzbourgeoise son âme inquiète ne lui laissait pas de repos. Il parcourt de nouveau l'Amérique du Nord, se rend au Brésil, revient en Angleterre, fait de courts séjours en Autriche, où les nazis tourmentent sa mère qui se meurt, en France... Et la guerre éclate. Je l'entends encore au début de 40, à l'hôtel Louvois, quand nous préparions la conférence sur sa Vienne tant aimée qu'il donna à Marigny, me dire avec angoisse — lui qui ne voulait pas ignorer les plans d'Hitler, les préparatifs de *toute* l'Allemagne : « Vous serez battus ». Et quand les événements semblent lui donner raison, c'en est fait totalement de sa tranquillité. Il voit répandues sur l'Europe les ténèbres épaisses qu'il appréhendait tant. Il quitte définitivement sa maison de Bath et gagne les Etats-Unis où il avait pensé se fixer. Mais l'inquiétude morale qui le ronge a sapé en lui toute stabilité. Le 15 août 1941, il s'embarque pour le Brésil et s'établit à Pétropolis où il espérait encore trouver la paix de l'esprit. En vain. L'auteur *d'Erasme*, qui ressemblait par tant de côtés à l'humaniste hollandais, n'est du reste pas un lutteur. Le 22 février 1942, il rédige le message d'adieu ci-dessous :

« Avant de quitter la vie de ma propre volonté et avec ma lucidité, j'éprouve le besoin de remplir un dernier devoir : adresser de profonds remerciements au Brésil, ce merveilleux pays qui m'a procuré, ainsi qu'à mon travail, un repos si amical et si hospitalier.

De jour en jour, j'ai appris à l'aimer davantage et nul part ailleurs je n'aurais préféré édifier une nouvelle existence, maintenant que le monde de mon langage a disparu pour moi et que ma patrie spirituelle, l'Europe, s'est détruite elle-même.

«Mais à soixante ans passés il faudrait avoir des forces particulières pour recommencer sa vie de fond en comble. Et les miennes sont épuisées par les longues années d'errance. Aussi, je pense qu'il vaut mieux mettre fin à temps, et la tête haute, à une existence où le travail intellectuel a toujours été la joie la plus pure et la liberté individuelle le bien suprême de ce monde.

« Je salue tous mes amis. Puissent-ils voir encore l'aurore après la longue nuit ! Moi je suis trop impatient, je pars avant eux».

Stefan Zweig,
Pétropolis, 22-2-42

INTRODUCTION

Le lendemain, Stefan Zweig n'était plus.
Pour se soustraire à la vie, il avait recouru
au gaz, suicide sans brutalité qui répondait
parfaitement à sa nature. Sa femme l'avait
suivi dans la mort.

A. H.

Vingt-quatre heures de la vie d'une femme

Dans la petite pension de la Riviera, où je me trouvais alors (dix ans avant la guerre), avait éclaté à notre table une violente discussion, qui brusquement menaça de tourner en altercation furieuse et fut même accompagnée de paroles haineuses et injurieuses. La plupart des gens n'ont qu'une imagination émoussée. Ce qui ne les touche pas directement, en leur enfonçant comme un coin aigu en plein cerveau, n'arrive guère à les émouvoir ; mais si devant leurs yeux à portée immédiate de leur sensibilité, se produit quelque chose, même de peu d'importance, aussitôt bouillonne en eux une passion démesurée. Alors ils compensent, dans une certaine mesure, la rareté de l'intérêt qu'ils prennent aux événements extérieurs par une véhémence déplacée et exagérée.

Ainsi en fut-il cette fois-là dans notre société de commensaux tout à fait bourgeois, qui d'habitude se livrait paisiblement à de *small talks* et à de petites plaisanteries sans profondeur, et qui le plus souvent, aussitôt après le repas, se dispersait : le couple conjugal des Allemands pour excursionner et faire de la photo, le Danois rondelet pour pratiquer l'art monotone de la pêche, la dame anglaise distinguée pour retourner à ses livres, les époux italiens pour faire des escapades à Monte-Carlo et moi pour paresser sur une chaise du jardin ou pour travailler. Mais cette fois-ci nous restâmes tous accrochés les uns aux autres dans cette discussion acharnée; et, si l'un de nous se levait brusquement, ce n'était pas, comme d'habitude, pour prendre poliment congé, mais dans un accès de brûlante irritation qui, comme je l'ai déjà indiqué, revêtait des formes presques furieuses.

Il est vrai que l'événement qui avait excité

à tel point notre petite table ronde était assez singulier. La pension, dans laquelle nous étions sept à habiter, se présentait bien de l'extérieur sous l'aspect d'une villa séparée (ah ! comme était merveilleuse la vue qu'on avait des fenêtres sur le littoral festonné de rochers), mais, en réalité, ce n'était qu'une dépendance, moins chère, du grand Palace Hôtel et directement en liaison avec lui par le jardin, de sorte que nous, les pensionnaires d'à côté, nous vivions, malgré tout, en relations continuelles avec les hôtes du Palace. Or, la veille, cet hôtel avait eu à enregistrer un scandale complet.

En effet, au train de midi, exactement de midi vingt (je dois indiquer l'heure avec précision, parce que c'est important, aussi bien pour cet épisode que pour le sujet de notre conversation si animée), un jeune Français était arrivé à l'hôtel et avait loué une chambre donnant sur la mer : cela seul annonçait déjà une certaine aisance pécuniaire. Il se faisait agréablement remarquer, non seulement par son élégance dis-

crète, mais surtout par sa beauté très grande
et tout à fait sympathique : au milieu d'un
visage étroit de jeune fille, une moustache
blonde et soyeuse caressait ses lèvres, d'une
chaude sensualité; au-dessus de son front très
blanc s'élevaient les ondes brunes et souples
de ses cheveux bouclés; chaque regard de ses
yeux doux était comme une caresse; tout dans
sa personne était tendre, flatteur, aimable, sans
cependant rien d'artificiel ni de maniéré. De
loin, à vrai dire, il rappelait d'abord un peu
ces figures de cire de couleur rose et à la pose
recherchée qui, une élégante canne à la main,
dans les vitrines des grands magasins de mode,
incarnent l'idéal de la beauté masculine. Mais
dès qu'on le regardait de plus près, toute impression de fatuité disparaissait, car ici (fait si
rare !) l'amabilité était chose naturelle et faisait corps avec l'individu. Quand il passait, il
saluait tout le monde d'une façon modeste et
cordiale, et c'était un vrai plaisir de voir com-

ment à chaque occasion sa grâce toujours prête
se manifestait en toute liberté.

Si une dame se rendait au vestiaire, il s'em-
pressait d'aller lui chercher son manteau ; il
avait pour chaque enfant un regard amical ou
un mot plaisant ; il était à la fois sociable et
discret ; bref, il paraissait un de ces êtres privi-
légiés, à qui le sentiment d'être agréable aux
autres, par un visage souriant et un charme
juvénile, donne une grâce nouvelle. Sa présence était comme un bienfait pour les hôtes du
Palace, la plupart âgés et de santé précaire ; et
grâce à une démarche triomphante de jeunesse,
à une allure vive et alerte et à cette fraîcheur
qu'un naturel charmant donne si superbement
à certains hommes, il avait conquis sans résistance la sympathie de tous. Deux heures après
son arrivée, il jouait déjà au tennis avec les
deux filles du gros et cossu fabricant lyonnais,
Annette, âgée de douze aus, et Blanche, qui en
avait seize ; et leur mère, la fine, délicate et
toute repliée en elle-même Mme Henriette,

regardait, en souriant doucement, avec quelle coquetterie inconsciente les deux fillettes toutes novices flirtaient avec le jeune étranger. Le soir, il nous divertit pendant une heure au jeu d'échecs, nous raconta entre temps avec une discrétion parfaite quelques gentilles anecdotes, se promena à plusieurs reprises, assez longtemps, sur la terrasse avec Mme Henriette, dont le mari, comme toujours jouait aux dominos avec un ami d'affaires ; très tard encore, je le trouvai en conversation suspecte d'intimité avec la secrétaire de l'hôtel, dans l'ombre du bureau.

Le lendemain, il accompagna à la pêche mon partenaire danois, montrant en cette matière des connaissances étonnantes ; ensuite, il s'entretint longuement de politique avec le fabricant de Lyon, ce en quoi également il se révéla causeur agréable, car on entendait le large rire du gros homme couvrir le bruit des flots marins. Après le déjeuner (il est absolument nécessaire pour l'intelligence de la situation que je rapporte avec exactitude toutes ces phases de son emploi du temps), il passa encore une heure avec Mme Henriette, à prendre le café, tous deux seuls dans le jardin ; il rejoua au tennis avec ses filles et conversa dans le hall avec les époux allemands. A six heures, en allant porter une lettre, je le trouvai à la gare. Il vint au-devant de moi avec empressement et me raconta qu'il était obligé de s'excuser, car on l'avait subitement rappelé : il reviendrait dans deux jours.

Effectivement, le soir, il ne se trouvait pas dans la salle à manger, mais c'était simplement sa personne qui manquait, car à toutes les tables on parlait uniquement de lui et l'on vantait son caractère agréable et gai.

Pendant la nuit, il pouvait être onze heures, j'étais assis dans ma chambre en train de finir la lecture d'un livre, lorsque j'entendis tout à coup, par la fenêtre ouverte, des cris et des appels inquiets dans le jardin ; et dans l'hôtel d'à côté il se produisit visiblement un mouvement inaccoutumé. Plutôt par inquiétude que

par curiosité, je descendis aussitôt les cinquante
marches de l'escalier ; là je trouvai les hôtes et
le personnel dans un état de trouble et d'agitation. Mme Henriette n'était pas rentrée de la
promenade qu'elle faisait tous les soirs sur la
terrasse du littoral pendant que son mari, avec
sa ponctualité coutumière, jouait aux dominos
avec son ami de Namur, et l'on craignait un
accident. Comme un taureau cet homme, si
lourd et si replet qu'était d'habitude le Lyonnais, se précipitait continuellement dans la
direction du littoral, et quand sa voix altérée
par l'émotion criait dans la nuit : « Henriette !
Henriette ! », ce son produisait quelque chose
de l'impression terrifiante qu'aurait pu faire une
bête gigantesque des âges primitifs, se sentant
frappée à mort. Les garçons et les boys se dé-
menaient, montant et descendant avec fièvre
les escaliers ; on réveilla tous les hôtes et l'on
téléphona à la gendarmerie. Mais au milieu de
tout ce tumulte, le gros homme, le gilet débou-
tonné, passait toujours, trébuchant ou faisant

de grandes enjambées et il sanglotait et criait à travers la nuit d'une manière tout à fait insensée un seul nom : « Henriette ! Henriette ! ». Sur ces entrefaites, là-haut les enfants s'étaient éveillés et dans leur vêtement de nuit ils appelaient leur mère par la fenêtre ; alors le père courut à eux pour les tranquilliser.

Puis il se passa quelque chose de si effrayant qu'il n'est pas possible de le raconter, parce que la nature violemment tendue, dans les moments de crise exceptionnelle, donne souvent à l'attitude de l'homme une expression tellement tragique que ni l'image, ni la parole ne peuvent la reproduire avec cette puissance de la foudre qui est en elle. Soudain, le lourd et gros bonhomme descendit les marches gémissantes de l'escalier avec un visage tout changé, plein de lassitude et pourtant féroce ; il tenait une lettre à la main : « Rappelez tout le monde ! » dit-il d'une voix tout juste intelligible. au chef du personnel. « Rappelez tout le monde ; il est inutile de chercher, ma femme m'a abandonné».

Il y avait de la tenue dans cet homme frappé à mort, une tenue faite de tension surhumaine devant tous ces gens qui l'entouraient, qui se dresssaient curieusement autour de lui pour le regarder et qui, brusquement, s'écartèrent pleins de confusion, de honte et d'effroi. Il lui resta encore assez de force pour passer devant nous en chancelant, sans regarder personne, et pour éteindre la lumière dans le salon de lecture ; puis on entendit son corps lourd et massif s'écrouler lourdement dans un fauteuil, et l'on perçut un sanglot sauvage et animal, comme seul peut en avoir quelqu'un qui n'a encore jamais pleuré. Cette douleur élémentaire produisit sur chacun de nous, même le moins sensible, une sorte d'effet stupéfiant. Aucun des garçons de l'hôtel, aucun des hôtes venus là par curiosité n'osait risquer un sourire, ni, d'autre part, un mot de commisération. Muets, l'un après l'autre, comme ayant honte de cette foudroyante explosion du sentiment, nous regagnâmes doucement nos chambres, et tout seul dans la pièce obscure où il était, ce morceau d'humanité écrasée palpitait et sanglotait, archi-seul avec lui-même dans la maison où lentement s'éteignaient les lumières, où il n'y avait plus que des murmures, des chuchotemeuts, des bruits faibles et mourants.

On comprendra qu'un événement si foudroyant accompli sous nos yeux était de nature à émouvoir puissamment des gens accoutumés à l'ennui et à des passe-temps insouciants. Mais la discussion qui ensuite éclata à notre table avec tant de véhémence et qui faillit même dégénérer en voies de fait, bien qu'ayant pour point de départ cet incident surprenant, était en elle-même plutôt une question de principes qui s'affrontent et une opposition coléreuse de conceptions différentes de la vie. En effet, par suite de l'indiscrétion d'une servante qui avait lu cette lettre (le mari effondré sur lui-même, dans sa colère impuissante, l'avait jetée toute chiffonnée n'importe où sur le parquet), on eut vite appris que Mme Henriette n'était pas par-

tie seule, mais avec le jeune Français (pour qui
la sympathie de la plupart commença dès lors
rapidement à disparaître). Après tout, au premier coup d'œil, on aurait parfaitement compris que cette petite Madame Bovary échan-
geât son époux rondelet et provincial pour un
jeune homme distingué et joli, Mais ce qui
étonnait toute la maison, c'était que ni le fabricant, ni ses filles, ni même Mme Henriette
n'avaient jamais vu auparavant ce Lovelace ;
et que, par conséquent, une conversation noc-
turne de deux heures sur la terrasse et une
heure de café pris en commun dans le jardin
auraient suffi pour amener une femme irréprochable, d'environ trente-trois ans, à abandonner nuitamment son mari et ses deux enfants et
à suivre à l'aventure un jeune élégant qui lui
était totalement étranger.

Notre table ronde était unanime à ne voir
dans ce fait, manifeste en apparence, qu'une
tromperie perfide et une manœuvre astucieuse
du couple amoureux : il était évident que

34

Mme Henriette entretenait depuis très longtemps des rapports secrets avec le jeune homme
et que ce « preneur de souris » n'était venu ici
que pour fixer les derniers détails de la fuite,
car, — ainsi raisonnait-on, — il était absolument
impossible qu'une honnête femme, après simplement deux heures de connaissance, filât
ainsi au premier coup de sifflet. Voici que je
m'amusai à être d'un autre avis ; et je soutins
énergiquement la possibilité, et même la proba-
bilité d'un événement de ce genre, de la part
d'une femme qu'une union faite de longues
années de déceptions et d'ennui avait intérieurement préparée à devenir la proie de tout
homme audacieux. Par suite de mon opposition
inattendue, la discussion devint vite générale et
ce qui surtout la rendit passionnée, ce fut que les
deux couples d'époux, aussi bien l'allemand que
l'italien, refusèrent, avec un mépris véritablement offensant, d'admettre l'existence du coup
de foudre, dans lequel ils ne voyaient qu'une
folie et une fade imagination romanesque.

Bref, il est ici sans intérêt de remâcher dans tous ses détails le cours orageux d'une dispute qui se déroule entre la soupe et le pudding ; seuls des professionnels de table d'hôte sont spirituels, et les arguments auxquels on recourt dans la chaleur d'une discussion que le hasard soulève entre commensaux sont le plus souvent sans originalité, parce que, pour ainsi dire, ramassés hâtivement « avec la main gauche ». Il serait également difficile d'expliquer pourquoi notre discussion prit si vite des formes blessantes ; je crois que l'irritation vint de ce que, malgré eux, les deux maris prétendirent que leurs propres femmes échappaient à la possibilité de tels risques et de telles chutes. Malheureusement, ils ne trouvèrent rien de meilleur à m'objecter que seul pouvait parler ainsi quelqu'un qui juge l'âme féminine d'après les conquêtes fortuites et trop faciles d'un célibataire. Cela commença à m'irriter, et lorsque ensuite la dame allemande assaisonna cette leçon d'une moutarde sentencieuse, en disant

36

qu'il y avait d'une part, des femmes véritables et, d'autres part, des « natures de gourgandine », et que, selon elle, Mme Henriette devait être de celles-ci, la patience m'échappa complètement ; à mon tour, je devins agressif. Je déclarai que cette négation du fait manifeste qu'une femme, à maintes heures de sa vie, peut être livrée à des puissances mystérieuses plus fortes que sa volonté et que son intelligence, dissimulait seulement la peur de notre propre instinct, la peur du démonisme de notre nature et que beaucoup de personnes semblaient prendre plaisir à se croire plus fortes, plus morales et plus pures que les gens « faciles à séduire ».

Pour ma part, je trouvais plus honnête qu'une femme suivît librement et passionnément son instinct, au lieu, comme c'est généralement le cas, de tromper son mari dans ses propres bras, les yeux fermés. Ainsi m'exprimai-je à peu près ; et plus, dans la conversation devenue crépitante, les autres attaquaient la pauvre Mme Henriette, plus je la défendais avec chaleur (à vrai dire, mon sentiment profond était que j'allais beaucoup trop loin !). Cette ardeur parut une provocation aux deux couples d'époux ; et, quatuor peu harmonieux, ils me tombèrent tous dessus avec tant d'acharnement que le vieux Danois, d'un air jovial, et le chronomètre à la main, comme l'arbitre dans un match de football, était obligé de temps en temps de frapper sur la table du revers osseux de ses doigts, en guise d'avertissement et en disant : « *Gentlemen, please* ».

Mais cela ne faisait d'effet que pour un moment. Par trois fois déjà l'un de mes adversaires s'était dressé violement et sa femme avait eu beaucoup de peine à l'apaiser ; bref, une douzaine de minutes encore, et notre discussion aurait fini par des coups, si soudain, Mrs C... n'avait pas, par des paroles lénitives, calmé, comme avec de l'huile, les vagues écumantes de la conversation.

Mrs C..., la vieille dame anglaise aux cheveux blancs et pleine de distinction était, sans qu'il y eût eu pour cela à procéder à une élection, la présidente d'honneur de notre table. Bien droite sur son siège, manifestant à l'égard de chacun une amabilité toujours égale, parlant peu et cependant extrêmement intéressante et agréable à entendre, son physique seul était déjà un bienfait pour les yeux : un recueillement et un calme admirables rayonnaient de son être aristocratiquement réservé. Elle se tenait dans une certaine mesure à distance de tous, bien qu'avec un tact très fin elle sût avoir pour chacun des égards particuliers : le plus souvent elle s'asseyait au jardin, avec des livres ; parfois elle jouait au piano et ce n'était que rarement qu'on la voyait en société ou engagée dans une conversation bruyante. On la remarquait à peine et, pourtant, elle avait sur nous une puissance singulière. Car sitôt qu'elle fut intervenue, pour la première fois, dans notre conversation, nous éprouvâmes tous le pénible sentiment d'avoir parlé trop fort et perdu la maîtrise de notre personne.

Mrs C... avait profité de la pause fâcheuse qui s'était produite lorsque le monsieur allemand ayant brusquement bondi de sa place y avait été doucement ramené. A l'improviste, elle leva ses yeux gris et clairs, me regarda un instant avec indécision, pour poser ensuite dans son esprit le problème avec, pour ainsi dire, la précision d'un expert.

— Vous croyez donc, si je vous ai bien compris, que Mme Henriette,... qu'une femme peut, sans l'avoir voulu, être précipitée dans une aventure soudaine ? Vous croyez qu'il y a des actes qu'une telle femme aurait elle-même tenus pour impossibles une heure auparavant et dont elle ne saurait être rendue responsable ?

— Je le crois, absolument, Madame.

— Ainsi donc tout jugement moral serait complètement sans valeur, et toute violation des lois de l'éthique justifiée. Si vous admettez réellement que le crime passionnel, comme disent les Français, n'est pas un crime, pourquoi conserver des tribunaux ? Il ne faut pas beaucoup de bonne volonté (et vous avez une bonne volonté étonnante, ajouta-t-elle en souriant légèrement) pour découvrir dans chaque crime une passion et, grâce à cette passion, une excuse.

Le ton clair et en même temps presque enjoué de ces paroles me fit un bien extraordinaire ; imitant malgré moi sa manière objective, je répondis mi-plaisant, mi-sérieux :

— A coup sûr, les tribunaux sont plus sévères que moi en ces matières ; ils ont pour mission de protéger implacablement les mœurs et les conventions générales ; cela les oblige à condamner au lieu d'excuser. Mais moi, simple particulier, je ne vois pas pourquoi de mon propre mouvement j'assumerais le rôle du ministère public. Je préfère être défenseur de profession. J'ai personnellement plus de plaisir à comprendre les hommes qu'à les juger.

Mrs C... me regarda un certain temps, bien en face, avec ses yeux clairs et gris, et elle hésita. Je craignais déjà qu'elle ne m'eût pas très bien compris et je me disposais à lui répéter en anglais ce que j'avais dit. Mais avec une gravité remarquable et comme dans un examen, elle continua ses questions :

— Ne trouvez-vous donc pas méprisable ou odieuse une femme qui abandonne son mari et ses enfants pour suivre un individu quelconque dont elle ne peut pas encore savoir s'il est digne de son amour ? Pouvez-vous réellement excuser une conduite si risquée et si inconsidérée, chez une femme qui, après tout, n'est pas des plus jeunes et qui devrait avoir appris à se respecter, ne fût-ce que par égard pour ses enfants?

— Je vous répète, Madame, — fis-je en persistant, — que je me refuse à prononcer un jugement ou une condamnation sur un cas pareil. Mais devant vous je puis tranquillement reconnaître que tout à l'heure j'ai un peu exagéré. Cette pauvre Mme Henriette n'est certainement pas une héroïne : elle n'a même pas une nature d'aventurière et elle n'est rien moins qu'une grande amoureuse. Autant que je la

connaisse, elle ne me paraît qu'une femme
faible et ordinaire, pour qui j'ai un peu de respect, parce qu'elle a courageusement suivi sa
volonté, mais pour qui j'ai encore plus de compassion, parce que, à coup sûr, demain, si ce
n'est pas déjà aujourd'hui, elle sera profondément malheureuse. Peut-être a-t-elle agi sottement ; de toutes façons elle s'est trop hâtée,
mais sa conduite n'a rien de vil ni de bas et,
après comme avant, je dénie à chacun le droit
de mépriser cette pauvre, cette malheureuse
femme.

— Et vous-même, avez-vous encore autant
de respect, autant de considération pour elle ?
Ne faites-vous pas de différence entre la femme
honnête en compagnie de qui vous étiez avant-
hier et cette autre qui, hier a décampé avec un
homme totalement étranger ?

— Aucune. Pas la moindre, non, pas la plus
légère.

— *Is that so ?*

Malgré elle, elle s'exprima en anglais, tant

l'entretien paraissait l'intéresser singulièrement! Et après un court moment de reflexion,
son regard clair se leva encore une fois sur moi:

— Et si demain vous rencontriez Mme Henriette, par exemple à Nice, au bras de ce jeune
homme, la salueriez-vous encore ?

— Certainement.

— Et lui parleriez-vous ?

— Certainement.

— Si vous... si vous étiez marié, présente-
riez-vous à votre épouse une femme pareille,
tout comme si rien ne s'était passé ?

— Certainement.

— *Would you really ?* — dit-elle de nouveau
en anglais, avec un étonnement incrédule et
stupéfait.

— *Surely I would*, — répondis-je également
en anglais, sans m'en rendre compte.

Mrs C... se tut. Elle paraissait toujours plongée dans une intense réflexion, et soudain elle
dit, tout en me dévisageant, comme étonnée de
son propre courage :

— *I don't know, if I would. Perhaps I might do it also.*

Et pleine de cette assurance indescriptible avec laquelle seuls des Anglais savent mettre fin à une conversation, d'une manière radicale et cependant sans grossière brusquerie, elle se leva et m'offrit amicalement la main. Grâce à son intervention le calme était rétabli et, en nous-mêmes, nous lui étions tous reconnaissants de pouvoir encore, bien qu'adversaires, nous saluer assez poliment et de voir la tension dangereuse de l'atmosphère se dissiper sous l'effet de quelques faciles plaisanteries.

Bien que notre discussion se fût terminée courtoisement, il n'en subsista pas moins de cet acharnement et de cette excitation une légère froideur entre mes contradicteurs et moi. Le couple allemand se montrait réservé, tandis que l'Italien se complaisait à me demander sans cesse, les jours suivants, avec un petit air moqueur, si j'avais des nouvelles de la « cara signora Henrietta ». Quelle que parût être l'urbanité de nos manières, il y avait quelque chose d'irrévocablement détruit dans la loyauté et la franchise de nos rapports.

La froideur ironique de mes anciens adversaires m'était rendue plus frappante par l'ama-

47

bilité toute particulière que Mrs C... me manifestait depuis cette discussion. Elle qui d'habitude était de la plus extrême réserve et qui en
dehors des repas ne se laissait presque jamais
aller à une conversation avec ses compagnons
de table, elle trouva alors plusieurs fois
l'occasion de m'adresser la parole, dans le jardin, et, je pourrais presque dire de m'honorer
en me distinguant, car la noble réserve de ses
manières conférait à un entretien particulier le
caractère d'une faveur spéciale. Oui, pour être
sincère, je dois dire qu'elle me recherchait vraiment, et qu'elle saisissait chaque occasion d'entrer en conversation avec moi, et cela si visiblement que j'aurais pu en concevoir des pensées
vaniteuses et étranges, si ce n'eût pas été une
vieille femme à cheveux blancs. Mais, chaque
fois que nous parlions ainsi, notre conversation
revenait inéluctablement à notre point de
départ, à Mme Henriette. Mrs C... paraissait
prendre un plaisir secret à accuser de manque
de sérieux et de tenue morale cette femme

48

oublieuse de son devoir. Mais, en même temps, elle paraissait se réjouir de la fidélité avec laquelle ma sympathie était restée du côté de cette femme fine et délicate et de voir que rien ne pouvait m'amener à renier cette sympathie. Toujours elle orientait nos entretiens dans ce sens. Finalement je ne savais plus que penser de cette insistance singulière et presque maladive.

Cela dura quelques jours, cinq ou six, sans qu'une de ses paroles eût trahi la raison pour laquelle ce sujet de conversation était pour elle important. Mais cette importance me devint évidente lorsque, au cours d'une promenade, je lui dis par hasard que mon séjour ici touchait à sa fin et que je pensais m'en aller le surlendemain. Alors son visage, d'ordinaire si paisible, prit soudain une expression étrangement tendue et sur ses yeux gris de mer passa comme l'ombre d'un nuage :

— Quel dommage ! J'aurais encore tant de choses à discuter avec vous, — dit-elle.

Et dès ce moment une certaine agitation,

une certaine inquiétude indiqua que, tandis qu'elle parlait, elle songeait à quelque chose d'autre, qui l'occupait vivement et qui la détournait de notre entretien. Puis, cet état d'absence sembla la gêner elle-même, car, après un silence soudain, elle me tendit brusquement la main, en déclarant :

— Je vois que je ne puis pas exprimer clairement ce que je voudrais vous dire. Je préfère vous écrire.

Et, d'un pas plus rapide que celui que je n'étais habitué à lui voir, elle se dirigea vers l'hôtel.

Effectivement, le soir, peu de temps avant le dîner, je trouvai dans ma chambre une lettre d'une écriture énergique et franche. Malheureusement, j'ai fait montre d'une certaine insouciance concernant la correspondance reçue dans mes années de jeunesse, si bien que je ne puis pas reproduire le texte même de sa lettre — et que je dois me contenter d'en indiquer à peu près la teneur — par laquelle elle me demandait si je l'autorisais à me raconter un épisode de sa vie.

Cet événement, écrivait-elle, était si ancien qu'il ne faisait pour ainsi dire plus partie de sa vie actuelle, et, du fait que je partais dès le surlendemain, il lui devenait plus facile de parler d'une chose qui, durant plus de vingt ans, l'avait occupée et tourmentée intérieurement. Donc, au cas où un tel entretien ne me serait pas importun, elle aimerait que je vinsse la trouver à une heure qu'elle m'indiquait.

Cette lettre, dont je n'esquisse ici que le contenu, me fascina extraordinairement : sa rédaction en anglais, à elle seule, lui donnait un haut degré de clarté et de décision. Néanmoins, il ne me fut pas aisé de trouver une réponse, et je déchirai trois brouillons avant d'arriver à la forme définitive :

« C'est pour moi un honneur que vous m'accordiez tant de confiance, et je vous promets de répondre sincèrement au cas où vous me le demanderiez. Naturellement, je n'ai pas besoin de vous prier de ne me dire que ce que vous voudrez me confier. Mais, ce que vous me raconterez, racontez-le, à vous et à moi, avec une entière vérité. Je vous prie de croire que je considère votre confiance comme une estime particulière. »

Le même soir, mon billet passa dans sa chambre, et le lendemain matin je trouvai cette réponse :

« Vous avez parfaitement raison ; la demi-vérité ne vaut rien, il faut toujours qu'elle soit entière. Je recueillerai toute ma force pour ne rien dissimuler vis-à-vis de moi-même ou de vous. Venez après dîner dans ma chambre (à soixante-sept ans, je n'ai à craindre aucune fausse interprétation), car, dans le jardin ou dans le voisinage des gens, je ne puis pas parler. Croyez-moi, il ne m'a pas été facile de me décider. »

Avant la fin de la journée nous nous vîmes encore à table et nous conversâmes gentiment de choses indifférentes. Mais dans le jardin déjà, me rencontrant, elle m'évita avec une confusion visible et ce fut pour moi pénible et touchant à la fois de voir cette vieille dame à cheveux blancs s'enfuir, craintive comme une jeune fille, dans une allée de pins-parasols.

Le soir, à l'heure convenue, je frappai à sa porte ; elle s'ouvrit aussitôt. La chambre était plongée dans un demi-jour mat ; seule une petite lampe sur la table jetait un cône de lumière jaune dans la pièce, où régnait une obscurité crépusculaire. Sans aucun embarras, Mrs C... vint à moi, m'offrit un fauteuil et s'assit en face de moi : chacun de ses mouvements, je le sentais bien, était étudié ; mais il y eut une pause, manifestement involontaire, — une pause précédant une résolution difficile à prendre, pause qui dura longtemps, très longtemps, et que je n'osais pas rompre en prenant la parole, parce que je sentais qu'ici une volonté forte luttait énergiquement contre une forte résistance. Du salon de conversation, qui se trouvait au-dessous, mon-

taient parfois en tourbillonnant les sons affai-
blis et décousus d'une valse, et j'écoutais avec
une grande tension d'esprit, comme pour ôter
à ce silence un peu de son oppression. Elle
aussi semblait être désagréablement affectée
par la dureté anti-naturelle de ce calme, car
soudain elle se ramassa comme pour s'élancer
et elle commença :

— Il n'y a que la première parole qui coûte.
Je me suis préparée depuis déjà deux jours à
être tout à fait claire et véridique : j'espère que
j'y réussirai. Peut-être ne comprenez-vous pas
encore que je vous raconte tout cela, à vous,
qui m'êtes étranger ; mais il ne se passe pas une
journée, à peine une heure, sans que je pense
à cet événement ; et vous pouvez en croire la
vieille femme que je suis si je vous dis qu'il est
intolérable de rester le regard fixé sa vie durant
sur un seul point de son existence, sur un seul
jour. Car tout ce que je vais vous raconter
occupe une période de seulement vingt-quatre
heures, sur soixante-sept ans ; et je me suis moi-

même souvent dit jusqu'au délire : « Qu'importe si, pendant cette longue durée de temps, on a eu un moment de folie, un seul ! » Mais on ne peut pas se débarrasser de ce que nous appelons, d'une expression très vague, la conscience ; lorsque je vous ai entendu examiner si objectivement le cas Henriette, j'ai pensé que, peut-être, cette façon absurde de me tourner continuellement vers le passé et cette incessante accusation de moi-même par moi-même prendraient fin si je pouvais me décider à parler librement devant quelqu'un de ce jour unique dans ma vie. Si, au lieu d'être de religion anglicane, j'avais été catholique, il y a longtemps que la confession m'aurait fourni l'occasion de racheter mon secret ; mais cette consolation nous est refusée, et c'est pourquoi je fais aujourd'hui cette étrange tentative de m'absoudre moi-même en vous prenant pour confident. Je sais que tout cela est très singulier, mais vous avez accepté sans hésiter ma proposition, et je vous en remercie.

Donc, je vous ai déjà dit que je voudrais vous raconter simplement un seul jour de ma vie : le reste me semble sans importance, et même ennuyeux pour tout autre que moi. Ma vie jusqu'à l'âge de quarante-deux ans n'a rien que de tout à fait ordinaire. Mes parents étaient de riches landlords en Ecosse ; nous possédions de grandes fabriques et de grandes fermes ; nous vivions, à la manière de la noblesse de notre pays, la plus grande partie de l'année dans nos terres, et à Londres pendant la *Season*. A dix-huit ans, je fis dans une société la connaissance de mon mari ; c'était le second fils de la notoire famille des R... et il avait servi dans l'Inde pendant dix ans. Nous nous mariâmes sans tarder et nous menions la vie sans soucis de notre classe sociale : trois mois à Londres, trois mois dans nos terres, et le reste du temps allant d'hôtel en hôtel, en Italie, en Espagne et en France. Jamais l'ombre la plus légère n'a troublé notre mariage ; les deux fils qui nous naquirent sont aujourd'hui des hommes faits.

J'avais quarante ans lorsque mon mari mourut presque subitement. Il avait rapporté de ses années passées sous les tropiques une maladie de foie: je le perdis au bout de deux atroces semaines. Mon fils aîné était déjà au service, le plus jeune au collège; ainsi en une nuit j'étais devenue complètement seule, et cette solitude était pour moi, habituée à une communauté affectueuse, un tourment terrible. Il me paraissait impossible de rester un jour de plus dans la maison déserte, dont chaque objet me rappelait la perte tragique de mon mari bien-aimé: aussi je résolus de voyager beaucoup pendant les années à venir, tant que mes fils ne seraient pas mariés.

Au fond, depuis ce moment-là, je considérai ma vie comme sans but et complètement inutile. L'homme avec qui j'avais partagé pendant vingt-trois ans chaque heure et chaque pensée, était mort; mes enfants n'avaient pas besoin de moi; je craignais de troubler leur jeunesse par mon humeur sombre et ma mélancolie; quant à moi-même, je ne voulais et ne désirais plus rien. J'allais d'abord à Paris, parcourant, dans mon désœuvrement, les magasins et les musées ; mais la ville et les choses constituaient pour moi une ambiance étrangère, et j'évitais les gens, parce que leurs regards de compassion polie provoqués par mes vêtements de deuil ne me faisaient pas plaisir. Il me serait impossible de raconter aujourd'hui comment se passèrent ces mois de vagabondage morne et sans éclaircie ; je sais seulement que me hantais toujours le désir de mourir ; mais la force me manquait pour précipiter moi-même cette fin douloureusement convoitée.

La seconde année de mon veuvage, c'est-à-dire dans la quarante-deuxième année de ma vie, au cours de cette fuite inavouée devant l'existence, sans intérêt pour moi, et devant un temps qu'il était impossible de tuer, je m'étais rendue, au mois de mars, à Monte-Carlo. A parler sincèrement, c'était par ennui, pour échapper à ce vide torturant de l'âme qui met en nous comme une nausée et qui voudrait tout au moins trouver une diversion dans de petits excitants extérieurs. Moins ma sensibilité était active, plus je ressentais le besoin de me jeter là où le tourbillon de la vie est le plus rapide : pour quelqu'un que rien de profond n'intéresse, l'agitation passionnée des autres occupe encore les nerfs, comme le théâtre ou la musique.

C'est pourquoi j'allais souvent au Casino. C'était pour moi une excitation que de voir passer fiévreusement sur la figure d'autrui du bonheur ou de l'accablement, tandis qu'en moi-même aucun flot vital ne remuait. En outre, mon mari, sans être léger, aimait assez fréquenter la salle de jeu, et c'est avec une sorte de piété inconsciente que je continuais d'être fidèle à ses anciennes habitudes. C'est là que commencèrent ces vingt-quatre heures qui furent plus émouvantes que tout le jeu du monde et qui bouleversèrent mon destin pour des années.

A midi, j'avais déjeuné avec la duchesse de M..., une parente de ma famille. Après le dîner, je ne me sentais pas encore assez lasse pour aller me coucher. Alors j'entrai dans la salle de jeu, flânant, sans jouer du tout, d'une table à l'autre et regardant d'une façon spéciale les partenaires rassemblés là, pêle-mêle. Je dis « d'une façon spéciale », car c'était celle que m'avait apprise mon défunt mari, un jour que, fatiguée de regarder, je me plaignais de la lassitude que je ressentais à dévisager d'un air badaud toujours les mêmes figures: ces vieilles femmes ratatinées, qui restent là assises pendant des heures avant de risquer un jeton, ces professionnels astucieux et ces « cocottes » du jeu de cartes, — toute cette société équivoque, venue des quatre coins de l'horizon et qui, comme vous le savez, est bien moins pittoresque et romantique que la peinture qu'on en fait d'habitude dans les histoires misérables où on la représente comme la fleur de l'élégance et comme l'aristocratie de l'Europe. Et je vous parle d'il y a vingt ans, lorsque c'était encore de l'argent bien sonnant et trébuchant qui rou-

lait, lorsque les crissants billets de banque, les
napoléons d'or, les larges pièces de cinq francs
tourbillonnaient pêle-mêle, lorsque le Casino
était infiniment plus intéressant qu'aujourd'hui,
où, dans cette pompeuse citadelle du jeu rebâ-
tie à la moderne, un public embourgeoisé de
voyageurs d'agence Cook gaspille avec ennui
ses jetons sans caractère. Cependant, à cette
époque, je ne trouvais que très peu de charme
à cette monotonie de visages indifférents, jusqu'à ce qu'un jour mon mari, dont la chiro-
mancie était la passion particulière, m'indiqua
une façon toute nouvelle de voir, effectivement beaucoup plus intéressante, beaucoup
plus excitante et captivante que celle de rester
là planté avec indolence : elle consistait à ne
regarder jamais un visage, mais uniquement
le carré de la table et, à cet endroit, seulement les mains des joueurs, rien que le mouvement propre à ces mains-là.

Je ne sais pas si par hasard vous-même vous
avez, un jour, simplement contemplé les tables

vertes, rien que le carré vert au milieu duquel
la boule vacille de numéro en numéro tel un
homme ivre, et où, à l'intérieur des cases
quadrangulaires, des bouts tourbillonnants de
papier, des pièces rondes d'argent et d'or tombent comme une semence qu'ensuite le râteau
du croupier moissonne d'un coup tranchant,
comme une faucille, ou bien pousse, comme
une gerbe, vers le gagnant. La seule chose
qui varie dans cette perspective, ce sont les
mains, la multitude de mains claires,. agitées,
ou en attente autour de la table verte ; toutes
ont l'air d'être aux aguets, au bord de l'antre,
toujours différent, d'une manche de vêtement,
chacune ressemblant à un fauve prêt à bondir,
chacune ayant sa forme et sa couleur, les unes
nues, les autres armées de bagues et de chaînes
cliquetantes : les unes poilues comme des bêtes
sauvages, les autres flexibles et moites comme
une anguille, mais toutes traversées d'une sourde
tension et vibrantes d'une immense impatience.

Malgré moi, je pensais chaque fois à un champ

de courses, où, au moment du départ, les che-
vaux excités sont contenus avec peine, pour
qu'ils ne s'élancent pas avant l'heure fixée :
c'est exactement de la même manière que les
mains des joueurs frémissent, se soulèvent, et
se cabrent. Elles révèlent, par leur façon d'attendre, de saisir et de s'arrêter, l'individualité
du joueur : griffues, elles dénoncent l'homme
cupide ; lâches, le prodigue ; calmes, le calcu-
lateur et, tremblantes, l'homme désespéré.
Cent caractères se trahissent ainsi, avec la rapidité de l'éclair, dans le geste que l'on fait
pour prendre l'argent, soit que l'un le froisse,
soit que l'autre nerveusement l'éparpille, soit
qu'épuisé un joueur, fermant sa main lasse,
le laisse rouler librement sur le tapis.

Le jeu révèle l'homme, c'est un mot banal, je
le sais ; mais je dis, moi : sa propre main, pendant le jeu, le révèle plus nettement encore.
Car tous ceux ou presque tous ceux qui prati-
quent les jeux du hasard ont bientôt appris à
maîtriser l'expression de leur visage : tout en

haut, au-dessus du col de la chemise, ils portent le masque froid de l'impassibilité ; ils contraignent à disparaître les plis se formant autour de la bouche ; ils relèguent leurs émotions entre leurs dents serrées ; ils dérobent à leurs propres yeux le reflet de leur inquiétude : ils atténuent la saillie des muscles faciaux en une indifférence artificielle qui cherche à paraître de la distinction. Mais précisément parce que toute leur attention se concentre convulsivement dans ce travail de dissimulation de ce qu'il y a de plus visible dans leur personne, c'est-à-dire leur figure, ils oublient leurs mains, ils oublient qu'il y a des gens qui observent uniquement ces mains-là et qui devinent, grâce à elles, tout ce que s'efforcent de cacher la lèvre au pli souriant et les regards feignant l'indifférence. La main, elle, trahit sans pudeur ce qu'ils ont de plus secret. Car un moment vient inéluctablement où tous ces doigts, péniblement contenus et paraissant dormir, sortent de leur indolente désinvolture : à la seconde décisive où la boule de la roulette tombe dans sa cuvette et où l'on crie le numéro gagnant, alors, à cette seconde, chacune de ces cent ou de ces cinq cents mains fait involontairement un mouvement tout personnel, tout individuel, imposé par l'instinct primitif. Et, quand on est habitué, comme moi, à observer cette sorte d'arène des mains, initiée que je fus, grâce à cette fantaisie de mon mari, cette brusque façon, sans cesse différente, sans cesse imprévue, dont des tempéraments, toujours nouveaux, se démasquent, est plus passionnante que le théâtre ou la musique : je ne puis pas vous indiquer en détail combien, pendant le jeu, il y a de milliers d'attitudes dans les mains, les unes bêtes sauvages aux doigts poilus et crochus qui agrippent l'argent à la façon d'une araignée, les autres nerveuses, tremblantes, aux ongles pâles, osant à peine le toucher, nobles et viles, brutales et timides, astucieuses et, pour ainsi dire, balbutiantes ; mais chacune a sa manière d'être particulière, car chacune de ces paires de mains exprime une vie différente, à l'exception de celles des croupiers, au nombre de quatre ou cinq. Celles-ci sont de véritables machines; avec leur précision objective, professionnelle, complètement neutre, par opposition à la vie exaltée des précédentes, elles fonctionnent comme les branches au claquement d'acier d'un tourniquet de compteur. Mais elles-mêmes, ces mains indifférentes, produisent à leur tour un effet étonnant par le contraste qu'elles forment avec leurs sœurs avides et passionnées : elles portent, si j'ose dire, un uniforme à part, comme des agents de police dans la houle et l'exaltation d'un peuple en émeute.

Ajoutez à cela l'agrément personnel qu'il y a, au bout de quelques soirs, à être familiarisé avec les multiples habitudes et passions de certaines mains; il fallait peu de jours pour que j'eusse constamment parmi elles de nouvelles connaissances, et je les classais, tout comme des êtres humains, en sympathiques et antipathiques. Plusieurs me déplaisaient tellement

par leur grossièreté et leur cupidité que mon
regard s'en détournait chaque fois, comme
d'une chose indécente. Mais, chaque main nouvelle qui apparaissait à la table était pour moi
un événement et une curiosité : souvent j'en ou-
bliais de regarder le visage correspondant, qui,
dominant le col, était planté là immobile,
comme un froid masque mondain, au-dessus
d'une chemise de smoking ou d'une gorge étin-
celante.

Donc, ce soir-là, étant entrée au Casino, après
être passée devant deux tables plus qu'encom-
brées et m'être approchée d'une troisième, au
moment où je préparais déjà quelques pièces
d'or, j'entendis, avec surprise, à cet instant de
pause entièrement muette, pleine de tension
et dans laquelle le silence semble vibrer, qui se
produit toujours lorsque la boule déjà prête à
s'immobiliser n'oscille plus qu'entre deux numé-
ros, — j'entendis, dis-je, tout en face de moi
un bruit singulier, un craquement et un claquement, comme provenant d'articulations qui

se brisent. Malgré moi, je regardai étonnée de l'autre côté du tapis. Et je vis là (vraiment, j'en fus effrayée !) deux mains comme je n'en avais encore jamais vu, une main droite et une main gauche qui étaient accrochées l'une à l'autre, comme des animaux en train de se mordre, et qui se serraient et s'opposaient farouchement, d'une manière si âpre et si convulsive que les articulations des phalanges craquaient avec le bruit sec d'une noix que l'on casse.

C'étaient des mains d'une beauté très rare, extraordinairement longues, extraordinairement minces, et pourtant traversées de muscles extrêmement rigides — des mains très blanches, avec, au bout, des ongles pâles, aux dessus nacrés et délicatement arrondis. Je les ai regardées toute la soirée, oui, je les ai regardées avec une surprise toujours nouvelle, ces mains extraordinaires, vraiment uniques ; mais ce qui d'abord me surprit d'une manière si terrifiante, c'était leur fièvre, leur expression follement

68

passionnée, cette façon convulsive de s'étreindre et de lutter entre elles. Ici, je le compris tout de suite, c'était un homme débordant de force qui concentrait toute sa passion dans les extrémités de ses doigts, pour qu'elle ne fît pas exploser son être tout entier. Et maintenant..., à la seconde où la boule tomba dans le trou avec un bruit sec et mat et où le croupier cria le numéro... à cette seconde les deux mains se séparèrent soudain l'une de l'autre, comme deux animaux frappés à mort d'une même balle.

Elles tombèrent, toutes les deux, véritablement mortes et non pas seulement épuisées; elles tombèrent avec une expression si accusée d'abattement et de désillusion, comme fondroyées et à bout, que mes paroles sont impuissantes à le décrire. Car jamais auparavant et jamais plus depuis lors je n'ai vu des mains si parlantes, dans lesquelles chaque muscle était comme une bouche et où la passion sortait presque tangiblement par tous les pores.

Pendant un moment, elles restèrent étendues

toutes les deux sur le tapis vert, telles des méduses échouées sur le rivage, veules et sans vie. Puis l'une d'elles, la droite, se mit péniblement à relever la pointe de ses doigts ; elle trembla, elle se replia, tourna autour d'elle-même, hésita, décrivit un cercle et finalement saisit avec nervosité un jeton qu'elle fit rouler d'un air perplexe entre l'extrémité du pouce et celle de l'index, comme une petite roue. Et soudain cette main s'arqua comme une panthère en faisant félinement le gros dos et elle lança ou plutôt elle cracha presque le jeton de cent francs qu'elle tenait, au milieu du carreau noir. Aussitôt, comme sur un signal l'agitation s'empara aussi de la main gauche qui était restée inerte ; elle se souleva, glissa, rampa même, pour ainsi dire, vers la main fraternelle toute tremblante, que son geste de lancement semblait avoir fatiguée, et toutes deux étaient maintenant frémissantes l'une à côté de l'autre ; toutes deux, pareilles à des dents qui, dans le frisson de la fièvre, claquent légèrement l'une contre l'autre, tapaient sur la table avec leurs articulations, sans faire de bruit. Non, jamais, jamais encore, je n'avais vu des mains ayant une expression si extraordinairement parlante, une forme si spasmodique d'agitation et de tension. Tout le reste de ce qui se passait sous cette grande voûte : le murmure qui remplissait les salons, les cris bruyants des croupiers, le va-et-vient des gens et celui de la boule elle-même, qui maintenant, lancée de haut, bondissait comme une possédée dans sa cage ronde au parquet luisant, — toute cette multiplicité d'impressions s'enchevêtrant et se succédant pêle-mêle et obsédant les nerfs avec violence, tout cela me paraissait brusquement mort et immobile à côté de deux mains frémissantes, haletantes, comme essoufflées, en proie à l'attente, grelottantes et frissonnantes, à côté de ces mains inouïes qui, en quelque sorte, me fascinaient en accaparant toute mon attention.

Mais enfin, je ne pus plus y résister : il fallut que je visse l'homme, que je visse la figure à

laquelle appartenaient ces mains magiques ; et
anxieusement (oui, avec une anxiété véritable,
car ces mains me faisaient peur) mon regard
glissa lentement le long des manches et jusqu'aux épaules étroites. Et, de nouveau, j'eus
un sursaut de frayeur, car cette figure parlait
la même langue effrénée et fantastiquement
surexcitée que les mains ; elle avait à la fois la
même expression d'acharnement terrible et la
même beauté délicate et presque féminine.
Jamais je n'avais vu un tel visage, pour ainsi
dire collé sur la personne et séparé presque de
celle-ci, pour vivre d'une vie propre, pour se
laisser aller à l'exacerbation la plus complète ;
et j'avais là une excellente occasion de l'examiner à loisir, comme un masque, comme une
sorte d'œuvre plastique sans regard : cet œil,
cet œil dément ne se tournait ni à droite ni à
gauche, ne fut-ce que pour une seconde ; la
pupille, rigide et noire, était comme une boule
de verre sans vie, sous les paupières dilatées,
— comme le reflet miroitant de cette autre

boule couleur d'acajou qui roulait et bondissait follement et insolemment dans la petite caisse ronde de la roulette. Jamais, il faut que je le répète encore, je n'avais vu un visage si exalté et si fascinant.

C'était celui d'un jeune homme, d'environ vingt-quatre ans ; il était mince, délicat, un peu allongé et par là si expressif. Tout comme les mains, il n'avait rien de viril, semblant plutôt appartenir à un enfant jouant avec passion : mais je ne remarquai tout cela que plus tard, car pour l'instant ce visage disparaissait complètement sous une expression saillante d'avidité et de fureur. La bouche mince, ouverte et brûlante, dénudait à moitié les dents : à une distance de dix pas, on pouvait voir comment celles-ci cliquetaient fièvreusement, tandis que les lèvres restaient figées et découvertes. Une mèche de cheveux, d'un blond lumineux, était collée au front avec moiteur ; elle tombait sur le devant comme quelqu'un qui fait une chute, et un tremblement ininterrompu vacillait de

part et d'autre autour des narines, comme s'il
y eût sur la peau un roulis de petites vagues
invisibles. Et cette tête, toute penchée en avant,
s'inclinait inconsciemment, toujours davantage
vers l'avant, si bien qu'on avait le sentiment
qu'elle était entraînée dans le tourbillon de la
petite boule ; ce n'est qu'alors que je compris
pourquoi ses mains se serraient si convulsivement : ce n'est que par cette contrepression,
par cette contraction que le corps arraché à son
centre de gravité se tenait encore en équilibre.

Jamais encore (il faut sans cesse que je le
répète), je n'avais vu un visage dans lequel la
passion jaillissait tellement à découvert, si bes-
tiale, dans sa nudité effrontée, et j'étais tout
entière à le regarder fixement, ce visage..., aussi
fascinée, aussi hypnotisée par sa folie que ses
regards l'étaient par le bondissement et les mouvements palpitants de la boule en rotation. A
partir de cette seconde, je ne remarquai plus
rien dans la salle ; tout me paraissait mat,
terne et effacé, tout me semblait obscur en com-

paraison du feu jaillissant de ce visage ; et, sans faire attention à personne d'autre, j'observai, peut-être pendant une heure, ce seul homme et chacun de ses gestes. Une lumière brutale étincela dans ses yeux, la pelote convulsée de ses mains fut brusquement déchirée comme par une explosion et les doigts s'écartèrent violemment, en frémissant, lorsque le croupier poussa vers leur avide étreinte vingt pièces d'or.

Dans cette seconde, le visage s'illumina soudain et se rajeunit totalement ; les plis se défirent mollement, les yeux se mirent à briller, le corps, contracté en avant, se releva, clair et léger ; il était devenu souple comme un cavalier porté par le sentiment du triomphe : les doigts faisaient sonner avec vanité et amour les pièces rondes ; ils les faisaient glisser l'une contre l'autre, les faisaient danser et tinter comme dans un jeu. Puis il détourna de nouveau la tête avec inquiétude, parcourut le tapis vert comme avec les narines flaireuses d'un jeune chien de chasse qui cherche la bonne piste, et soudain, d'un geste rapide et nerveux, il versa toute la poignée de pièces d'or sur un des carrés.

Et, aussitôt, recommença cette attitude de guetteur, cette hypertension. De nouveau, sortirent des lèvres ces mouvements de vagues aux vibrations électriques; de nouveau les mains se contractèrent, la figure d'enfant disparut derrière l'anxiété du désir, jusqu'à ce que, à la manière d'une explosion, la déception vint dissoudre cette crispation et cette tension : le visage, qui un instant plus tôt faisait l'effet de celui d'un enfant, se flétrit, devint terne et vieux; les yeux furent mornes et éteints, et tout cela dans l'espace d'une seule seconde, tandis que la boule se fixait sur un numéro qu'il n'avait pas choisi. Il avait perdu : pendant une couple de secondes, il regarda fixement, d'un air presque stupide, comme s'il n'eût pas compris ; mais aussitôt, au premier appel du croupier, comme stimulés par un coup de fouet, ses doigts agrippèrent de nouveau quelques pièces d'or. Toutefois, il n'avait plus d'assurance ; d'abord il plaça les pièces sur un carré, puis, changeant d'idée, sur un autre et, lorsque la boule était déjà en rotation, il lança vite dans le carré, d'une main tremblante, sous l'effet d'une soudaine inspiration, encore deux billets de banque chiffonnés.

Cette alternance, ce mouvement palpitant de pertes et de gain, dura, sans arrêt, environ une heure ; et, pendant cette heure, je ne détournai pas un seul instant mon regard fasciné de ce visage continuellement transformé, sur lequel passaient le flux et le reflux de toutes les passions. Je ne les quittais pas des yeux, ces mains magiques, dont chaque muscle rendait plastiquement toute l'échelle des sentiments, montant et retombant à la manière d'un jet d'eau. Jamais au théâtre je n'ai regardé avec autant d'intérêt le visage d'un acteur que je fis pour cette face, sur laquelle se déroulait incessamment et par saccades, — comme le jeu de la lumière et des ombres sur un paysage, — la gamme changeante de toutes les couleurs et de toutes les sensations.

Jamais je ne m'étais donnée à un jeu aussi entièrement que je me donnais au reflet de cette passion étrangère. Si quelqu'un m'avait observée à ce moment là, il aurait pris forcément la rigidité fixe de mon regard d'acier pour une hypnose, et c'était bien aussi à une sorte d'hypnose que ressemblait mon état d'engourdissement complet : je ne pouvais pas m'empêcher de regarder ce jeu d'expressions ; et tout ce qu'il y avait pêle-mêle de lumières, de rires, d'êtres humains et de regards, flottait autour de moi comme une chose sans forme, comme une fumée jaune au milieu de laquelle se dressait ce visage — flamme parmi les flammes. Je n'entendais rien, je ne sentais rien, je ne voyais pas les gens qui se pressaient autour de moi, je ne voyais pas d'autres mains se tendre brusquement, comme des antennes, pour jeter au jeu de l'argent ou pour en recueillir à brassées ; je n'apercevais pas la boule ni n'entendais la voix du croupier, et pourtant je voyais, comme en un rêve, tout ce qui se passait, amplifié et grossi par l'émotion et l'exaltation, au miroir concave de ces mains. Car, pour savoir si la boule tombait sur le rouge ou sur le noir, si elle roulait ou si elle s'arrêtait, je n'avais pas besoin de regarder la roulette : chaque phase, perte et gain, attente et déception, se lisait en traits de feu sur les nerfs et dans les gestes de ce visage dominé par la passion.

Mais alors arriva un moment terrible, un moment qu'en moi-même j'avais redouté déjà sourdement pendant tout le temps, un moment qui était suspendu comme un orage au-dessus de mes nerfs surexcités et qui soudain les entraîna dans son déchaînement. De nouveau la boule s'était amortie avec de petits bruits de claquet, dans sa ronde carrière : de nouveau palpita cette seconde pendant laquelle deux cents lèvres retinrent leur souffle, jusqu'à ce que la voix du croupier annonça, cette fois-ci, « zéro », tandis que déjà son râteau preste ramassait de tous les côtés les pièces sonores et le crissant papier.

A ce moment-là les deux mains contractées firent un mouvement particulièrement effrayant ; elles bondirent en quelque sorte, pour saisir quelque chose qui n'existait plus et elles s'abattirent ensuite, comme agonisantes, sur la table, obéissant uniquement, dans leur inertie, à la loi de la pesanteur. Mais ensuite elles reprirent soudainement vie encore une fois ; elles coururent fiévreusement de la table au corps dont elles faisaient partie, grimpèrent comme des chats sauvages le long du tronc, fouillant nerveusement dans toutes les poches, en haut, en bas, à droite et à gauche, pour voir s'il n'y aurait pas encore quelque part, comme une dernière miette, une pièce de monnaie oubliée. Mais toujours elles revenaient vides ; toujours elles renouvelaient plus ardemment cette recherche vaine et inutile, tandis que déjà le plateau de la roulette s'était remis à tourner, que le jeu des autres continuait, que les pièces de monnaie tintaient, que les sièges remuaient et que les mille petits bruits confus remplissaient la salle de leur rumeur. Je tremblais, toute secouée d'horreur tant je participais malgré moi à tous ces sentiments, comme si c'étaient mes propres doigts qui, là, fouillaient désespérément, à la recherche de n'importe quelle pièce d'argent, dans les poches et les plis du vêtement tout chiffonné ! Et soudain, d'une brusque saccade, l'homme se leva, en face de moi, comme quelqu'un qui se trouve subitement mal et qui se dresse pour ne pas étouffer ; derrière lui la chaise roula sur le sol, avec un bruit sec. Mais, sans même le remarquer, sans faire attention aux voisins, qui, étonnés et inquiets, s'écartaient de cet homme chancelant, ii s'éloigna de la table d'un pas lourd.

A cet aspect, je fus comme pétrifiée. Car je compris aussitôt où allait cet homme : à la mort. Quelqu'un qui se levait de cette façon n'allait pas, certainement, dans un hôtel, dans un cabaret, chez une femme, dans un compartiment de chemin de fer, dans n'importe quelle situation de la vie, mais il se précipitait tout droit dans le néant. Même la personne la plus insensible de cette salle d'enfer aurait reconnu, forcément, que cet individu n'avait plus aucun appui ni chez lui, ni dans une banque, ni chez des parents ; qu'il avait joué ici son dernier argent et sa vie même et que maintenant de ce pas trébuchant, il s'en allait ailleurs, n'importe où, mais, à coup sûr, hors de l'existence.

J'avais toujours craint (et dès le premier moment je l'avais magiquement senti) qu'ici ne fût en jeu quelque chose de supérieur au gain et à la perte ; et, cependant, ce fut comme un noir coup de foudre qui éclata en moi lorsque je constatai que la vie quittait brusquement les yeux de cet homme, et que la mort mettait son teint livide sur ce visage encore plein de vitalité. Involontairement (tellement j'étais pénétrée par ses gestes plastiques !) je dus me cramponner avec la main, pendant qu'il se levait avec peine de sa place et chancelait, car sa démarche titubante passait maintenant dans mon propre corps, comme auparavant son exitation était entrée dans mes veines et dans mes nerfs. Mais ensuite, ce fut plus fort que moi, je fus obligée de le suivre : sans que je le veuille, mon pied se mit de lui-même en mouvement. Cela se fit d'une manière absolument inconsciente ; ce n'était pas moi qui agissais, mais les choses furent telles que, sans faire attention à personne, sans avoir conscience de mes propres mouvements, je courus vers le vestibule pour sortir.

L'homme était au vestiaire, le domestique lui avait apporté son pardessus. Mais ses bras ne lui obéissaient plus ; aussi le serviteur empressé l'aida, tel un infirme, à passer péniblement les manches. Je le vis porter mécaniquement ses doigts à la poche du gilet, pour donner un pourboire, mais après l'avoir tâtée jusqu'au fond ils en sortirent vides. Alors il parut soudain se rappeler tout ce qui venait de se passer ; il balbutia avec embarras un mot quelconque à l'adresse du domestique, et, tout comme précédemment, il se donna une brusque saccade en avant, puis, tel un homme ivre, il descendit en trébuchant les marches du Casino, d'où le domestique le regarda encore un moment avec un sourire d'abord de mépris et finalement de compréhension.

Cette scène était si émouvante que j'eus honte de me trouver là. Malgré moi je me détournai, gênée d'avoir assisté, comme de la rampe d'un théâtre, à ce drame de désespoir chez quelqu'un que je ne connaissais pas; mais soudain cette angoisse incompréhensible qui était en moi me poussa à le suivre. Vite je me fis donner mes affaires et sans penser à rien de précis, tout machinalement, tout instinctivement, je m'élançai dans l'obscurité, sur les pas de cette homme.

Mrs C... interrompit un instant son récit. Tout le temps elle était restée immobile sur son siège, en face de moi, et elle avait parlé presque d'une traite avec ce calme et cette netteté qui lui étaient propres, comme ne peut le faire que quelqu'un qui s'y est préparé et qui a soigneusement mis en ordre les événements. C'était la première fois qu'elle s'arrêtait, elle hésita et puis brusquement, laissant de côté son histoire, elle s'adressa directement à moi :

— J'ai promis à vous et à moi-même — commença-t-elle un peu inquiète, — de vous raconter avec une sincérité absolue tout ce qui s'est passé. Mais, à mon tour, je dois exiger que vous ayez complètement foi dans ma sincérité et que vous n'attribuiez pas à ma manière d'agir des motifs cachés, dont j'aurais peut-être aujourd'hui à rougir ; dans ce cas-là, ce serait une supposition entièrement fausse. Je dois donc souligner que, lorsque je suivis précipitamment dans la rue ce joueur écroulé sur lui-même, je n'étais, par exemple, nullement amoureuse de ce garçon ; je ne pensais nullement à lui comme une femme peut penser à un homme ; et, de fait, moi qui avais alors plus de quarante ans, après la mort de mon mari je n'ai jamais plus jeté un regard sur un homme. C'était pour moi une chose définitivement tombée dans le passé : je vous le dis expressément et il faut que je vous le dise, parce qu'autrement tout ce qui se passa ensuite ne vous serait pas intelligible dans son horreur.

En vérité, il me serait difficile, d'autre part, de qualifier avec précision le sentiment qui alors m'entraîna si irrésistiblement à la suite de ce malheureux : il y avait de la curiosité, mais surtout une peur terrible ou, pour mieux dire, la peur de quelque chose de terrible, que j'avais senti dès la première seconde planer comme un nuage autour de ce jeune homme. Mais on ne peut ni analyser ni disséquer de telles impressions ; surtout parce qu'elles se produisent, enchevêtrées l'une dans l'autre, avec trop de force, de rapidité et de spontanéité ; il est probable que je ne faisais là pas autre chose que le geste absolument instinctif que l'on fait pour secourir et retenir un enfant qui dans la rue va se jeter sous les roues d'une automobile. Sinon, comment expliquerait-on que des gens qui eux-mêmes ne savent pas nager s'élancent du haut d'un pont au secours de quelqu'un qui se noie ? C'est simplement une puissance magique qui les entraîne, une volonté qui les pousse à se jeter à l'eau avant qu'ils aient le temps de réfléchir à la témérité insensée de leur entreprise ; et c'est exactement ainsi, sans aucune pensée, sans réflexion et tout inconsciemment qu'alors j'ai suivi ce malheureux de la salle de jeu à la sortie, et de la sortie jusqu'à la terrasse qui précède le Casino.

Et je suis certaine que ni vous, ni aucune personne ayant des yeux pour voir, n'auriez pu vous arracher à cette curiosité anxieuse, car rien n'était plus lamentable à imaginer que l'aspect de ce jeune homme, de vingt-quatre ans tout au plus, qui, péniblement, comme un vieillard, se traînait de l'escalier vers la terrasse, titubant comme un homme ivre, les articulations flasques et brisées. Il se laissa tomber sur un banc, lourdement, comme un sac. De nouveau ce mouvement me fit sentir en frissonnant que cet homme était à bout de tout. Seul peut tomber ainsi un mort ou bien quelqu'un en qui il n'y a plus un muscle de vivant. La tête, penchée de travers, retombait par-dessus le dossier du banc ; les bras pendaient veules et sans forme vers le sol ; dans la demi-obscurité des lanternes à la flamme vacillante, chaque passant l'aurait pris forcément pour un cadavre. Et c'est ainsi (je ne puis pas m'expliquer comment cette vision se forma soudain en moi, mais soudain elle fut là, tangiblement plasti- que, avec une réalité horrible et terrifiante), c'est ainsi, sous l'aspect d'un cadavre, que je le vis devant moi en cette seconde, et j'avais la certitude aveugle qu'il portait un révolver dans sa poche et que le lendemain on trouverait ce corps étendu sur ce banc ou sur un autre, sans vie et inondé de sang. Car la façon dont il s'était laissé aller était celle d'une pierre qui tombe dans un gouffre et qui ne s'arrête pas avant d'en avoir atteint le fond : jamais je n'ai vu un geste physique exprimer autant de lassitude et de désespoir.

Et maintenant, imaginez-vous ma situation : je me trouvais à vingt ou à trente pas derrière le banc où était assis cet homme immobile et effondré sur lui-même ; je ne savais que faire, poussée, d'une part, par la volonté de le secou- rir et, d'autre part, retenue par la peur d'adres- ser dans la rue la parole à un étranger, peur née de l'éducation et de l'hérédité. Les becs de gaz mettaient leur flamme opaque et vascillante dans le ciel nuageux ; les passants très rares se hâtaient, car il allait être minuit et j'étais donc presque toute seule dans le parc avec cet homme à l'aspect de suicidé.

Cinq fois, dix fois, j'avais déjà réuni toutes mes forces et j'étais allée vers lui, mais, toujours, la pudeur me ramenait en arrière, ou peut-être cet instinct, ce pressentiment profond qui nous indique que ceux qui tombent entraînent souvent dans leur chute les personnes qui se portent à leur secours ; au milieu de ce flottement, je sentais moi-même clairement la folie, le ridicule de la situation. Cependant je ne pouvais ni parler ni m'en aller, — ni faire quoi que ce fût, ni le quitter. Et j'espère que vous me croirez si je vous dis que je restai ainsi sur cette terrasse, allant et venant sans savoir quelle décision prendre, peut-être pendant une heure, une heure interminable, tandis que les vagues de la mer invisible grignotaient le temps de leurs mille et mille petits battements, tellement me bouleversait et me pénétrait cette image de l'anéantissement complet d'un être humain !

Mais, malgré tout, je ne trouvais pas le courage de parler ni d'agir ; et je serais restée encore la moitié de la nuit à attendre de la sorte, ou peut-être un égoïsme plus intelligent m'aurait finalement amenée à rentrer chez moi, oui, je crois même que j'étais déjà décidée à abandonner à son sort ce paquet de misère, lorsqu'une puissance supérieure triompha de mon irrésolution. En effet, il se mit à pleuvoir. Déjà, pendant toute la soirée, le vent avait rassemblé au-dessus de la mer de lourds nuages printaniers chargés de vapeur : on sentait, avec ses poumons et avec son cœur, que le ciel pesait profondément sur la terre. Soudain une goutte de pluie claqua sur le sol, et aussitôt un déluge massif s'abattit, par lourds écheveaux d'humidité que chassait le vent. Involontairement, je me réfugiai sous la saillie d'un kiosque et, bien que mon parapluie fût ouvert, les rafales bondissantes répandaient sur ma robe des gerbes d'eau. Jusque sur ma figure et sur mes mains je sentais jaillir la poussière froide des gouttes tombant sur le sol avec un bruit sec.

Mais (et c'était une chose si affreuse à voir que, encore aujourd'hui, vingt ans après, ma gorge s'étreint, rien que d'y penser), malgré ce déluge torrentiel, le malheureux restait immobile sur son banc, sans bouger le moins du monde. L'eau coulait et ruisselait par toutes les gouttières; on entendait du côté de la ville le bruit grondant des voitures; à droite et à gauche fuyaient des gens aux manteaux relevés; tout ce qui était vivant se faisait petit, s'enfuyait craintivement, cherchant un refuge; partout chez l'homme et chez la bête on sentait la peur de l'élément déchaîné, — seul ce noir peloton humain là sur son banc ne bougeait pas.

Je vous ai déjà dit que cet homme possédait le pouvoir magique d'exprimer plastiquement ses sentiments par le mouvement et par le geste; mais rien, rien sur terre n'aurait pu rendre ce désespoir, cet abandon absolu de sa personne, cette mort vivante, d'une manière aussi saisissante que cette immobilité, cette façon de rester inerte et insensible sous la pluie battante, cette lassitude trop grande pour se lever et faire les quelques pas nécessaires afin de se mettre sous un abri quelconque, cette indifférence suprême à l'égard de sa propre individualité. Aucun sculpteur, aucun poète, ni Michel-Ange, ni Dante, ne m'a jamais fait comprendre le geste du désespoir suprême, la misère suprême de la terre d'une façon aussi émouvante et aussi puissante que ce vivant qui se laissait inonder par l'ouragan, — déjà trop veule, trop fatigué pour se garantir par un seul mouvement

Ce fut plus fort que moi, je ne pus agir différemment. D'un bond, je passai sous les baguettes liquides et brutales de la pluie et je secouai sur son banc ce paquet humain tout ruisselant d'eau.

— Venez! — fis-je en lui saisissant le bras. Une chose indéfinissable me regarda fixement et avec peine. Une espèce de mouvement sembla vouloir se développer lentement en lui, mais il ne comprenait pas.

— Venez ! — dis-je en tirant encore la manche toute mouillée, et cette fois-ci déjà presque en colère.

Alors il se leva lentement, sans volonté et chancelant.

— Que voulez-vous ? — demanda-t-il.

A cela je ne trouvai aucune réponse, car je ne savais pas moi-même où aller avec lui : ce que je cherchais, c'était uniquement à l'arracher à cette froide averse, à cette indifférence insensée et pareille au suicide, qui le faisait rester là dans un désespoir suprême. Je ne lâchai pas son bras ; je continuai à le tirer, loque humaine qu'il était, jusqu'au kiosque de fleuriste, dont le toit formant une petite saillie le protégerait au moins dans une certaine mesure contre les atteintes furieuses de l'élément liquide que le vent fouettait sauvagement. En dehors de cela, je ne savais rien, je ne voulais rien. Je n'avais pensé d'abord qu'à une chose ; mettre cet homme sous un abri, dans un endroit sec.

Et ainsi nous étions là tous deux, l'un à côté de l'autre, dans ce petit espace abrité, ayant derrière nous la paroi fermée du kiosque et au-dessus de nous seulement le toit protecteur, qui était trop petit, et sous lequel la pluie inlassable pénétrait perfidement pour nous envoyer sans cesse, par de soudaines rafales, sur les vêtements et au visage, des lambeaux épars de froid liquide. La situation devenait intenable.

Je ne pouvais. malgré tout, rester plus longtemps à côté de cet étranger tout ruisselant. Et, d'autre part, impossible, après l'avoir traîné avec moi, de le laisser là tout bonnement, sans lui dire une parole. Il fallait absolument faire quelque chose ; peu à peu j'arrivai à une idée claire et nette. Le mieux, pensai-je, c'est de le conduire chez lui dans une voiture et de rentrer chez moi : demain il saura bien se débrouiller. Et ainsi je demandais à cet homme qui était immobile près de moi et qui regardait fixement dans la nuit furibonde :

— Où habitez-vous ?

— Je n'ai pas d'habitation... Je suis venu de Nice ce soir même... On ne peut pas aller chez moi.

Je ne compris pas immédiatement la dernière phrase. Ce n'est que plus tard que je compris que cet homme me prenait pour... pour... pour... pour une de ces femmes qui rôdent en grand nombre la nuit autour du Casino, parce qu'elles espèrent toujours attraper quelque argent à des joueurs heureux ou à des hommes pris d'ivresse. Après tout, qu'aurait-il pu penser d'autre, puisque maintenant encore, en vous racontant la chose, je sens toute l'invraisemblance, tout le fantastique de ma situation ? Quelle autre idée aurait-il pu se faire de moi, puisque la manière dont je l'avais arraché à son banc et entraîné sans aucune hésitation n'était vraiment pas celle d'une dame ? Mais cette pensée ne me vint pas d'abord. Ce n'est que plus

tard, trop tard déjà, que j'eus peu à peu conscience de l'affreuse méprise qu'il commettait à
mon sujet. Car autrement je n'aurais jamais
prononcé les paroles suivantes, qui ne pouvaient
que fortifier son erreur. Je lui dis, en effet :

— Eh bien ! on prendra une. chambre dans
un hôtel. Vous ne pouvez pas rester ici il faut
immédiatement que vous trouviez un refuge
quelque part.

Mais aussitôt je m'aperçus de sa pénible
erreur, car, sans se tourner vers moi, il se
contenta de dire avec une certaine ironie :

— Non, je n'ai pas besoin de chambre. je
n'ai plus besoin de rien. Ne te donne aucune
peine, il n'y a rien à tirer de moi, Tu es mal
tombée, je n'ai pas d'argent.

Cela fut dit encore d'un ton effrayant, avec
une indifférence impressionnante ; et son attitude — cette façon veule de s'appuyer à la
paroi du kiosque ; de la part d'un être ruisselant, trempé jusqu'aux os et l'âme épuisée —
m'affecta au point que je ne trouvai pas le temps

de me sentir mesquinement et sottement offensée. Je sentais uniquement ce que dès que je l'avais vu sortir en chancelant de la salle et pendant cette heure inimaginable j'avais éprouvé continuellement : à savoir qu'ici un être humain, jeune, plein de vie, de souffle, était sur le point de mourir et que mon devoir était de le sauver. Je me rapprochai de lui en disant :

— Ne vous préoccupez pas de la question d'argent et venez ! Vous ne pouvez pas rester ici ; je vous trouverai bien un abri. Ne vous inquiétez de rien, vous n'avez qu'à venir.

Sa tête fit un mouvement et, tandis que la pluie tambourinait sourdement autour de nous et que l'averse jetait à nos pieds son eau clapotante, je sentis qu'au milieu de l'obscurité il s'efforçait pour la première fois d'apercevoir mon visage. Son corps paraissait aussi se réveiller lentement de sa léthargie.

— Soit, comme tu voudras,—dit-il en acceptant,—tout m'est égal... Après tout, pourquoi pas ? Partons.

J'ouvris mon parapluie : il gagna mon côté et passa son bras sous le mien. Cette familiarité soudaine me fut très désagréable. Oui, elle m'effraya, je fus saisie d'épouvante jusqu'au fond de mon cœur. Mais je n'eus pas le courage de le lui interdire ; car si, maintenant, je le repoussais, il tombait dans l'abîme et tout ce que j'avais fait jusqu'ici était vain. Nous avançâmes de quelques pas dans la direction du Casino.

Ce n'est qu'en ce moment que je me rendis compte que je ne savais que faire de lui. Le mieux après une rapide réflexion, me parut être de le conduire dans un hôtel, de lui glisser alors de l'argent dans la main, pour qu'il pût payer sa chambre et, le lendemain, rentrer à Nice : je ne pensais pas à autre chose. Et, comme maintenant les voitures passaient hâtivement devant le Casino, j'en appelai une, dans laquelle nous montâmes. Lorsque le cocher demanda où nous voulions aller, je ne sus d'abord que répondre. Mais, songeant soudain que cet homme mouillé de part en part et ruis-

selant d'eau qui était à côté de moi ne serait
admis dans aucun des bons hôtels et, d'autre
part, en femme sans expérience que j'étais, ne
pensant nullement à la possibilité d'une équivoque, je me contentai de dire au cocher :

— Dans un petit hôtel quelconque !

Le cocher, stoïque, inondé de pluie, mit son
cheval en marche. L'étranger assis près de
moi restait muet, les roues clapotaient et la
pluie claquait fortement contre les vitres : dans
ce carré d'espace obscur, sans lumière, semblable à un cercueil, il me semblait accompagner
un cadavre. J'essayais de réfléchir, de trouver
une parole pour atténuer la singularité et
l'horreur de ce voisinage taciturne, mais je n'y
parvenais pas. Au bout de quelques minutes,
la voiture s'arrêta. Je descendis la première et
je payai le cocher, tandis que l'autre, tout som-
nolent, refermait la portière. Nous étions maintenant devant la porte d'un petit hôtel que je
ne connaissais pas ; au dessus de nous un auvent
de verre mettait sa petite voûte protectrice

contre la pluie, qui, autour de nous, avec une affreuse monotonie, effrangeait la nuit impénétrable.

L'étranger, cédant à la pesanteur, s'était malgré lui appuyé au mur ; de son chapeau trempé, de ses vêtements chiffonnés l'eau tombait comme d'une gouttière. Il était là pareil à un noyé que l'on a repêché et qui a encore l'esprit tout engourdi, et autour du petit endroit où il s'appuyait l'eau en s'égouttant formait un ruisselet. Mais il ne faisait pas le moindre effort pour se secouer, pour brandir son chapeau d'où sans cesse des gouttes coulaient sur son front et sur son visage. Il était là, complètement impassible, et je ne saurais vous dire combien je me sentais émue par cet effondrement.

Mais maintenant il fallait agir. Je mis la main à ma poche :

— Voici cent francs, — dis-je —, vous allez prendre une chambre, et demain matin vous rentrerez à Nice.

Il me regarda avec étonnement.

— Je vous ai observé dans la salle de jeu,
— continuai-je en insistant, après avoir remarqué son hésitation. Je sais que vous avez tout
perdu, et je crains que vous ne soyez sur le point
de faire une sottise. Ce n'est pas une honte que
d'accepter une assistance... Allons, prenez.

Mais il repoussa ma main avec une énergie
que je n'aurais pas cru possible de sa part.

— Tu es une bonne fille, — dit-il, — mais ne
gaspille pas ton argent. Il n'y a plus rien à faire
pour moi. Il est tout à fait indifférent que cette
nuit je dorme ou non. Demain ce sera la fin de
tout. Il n'y a plus rien à faire.

— Non, il faut que vous preniez cet argent,
— insistai-je — demain vous penserez autrement. Maintenant entrez à l'hôtel et dormez
paisiblement : la nuit porte conseil, les choses
n'ayant pas le même aspect que pendant
le jour.

Néanmoins, comme je lui tendais de nouveau
l'argent, il me repoussa presque avec violence.

— Inutile, répéta-t-il d'une voix sourde, — cela ne sert à rien. Il vaut mieux que la chose se passe dehors que de tacher de sang la chambre de ces gens-là. Cent francs ne peuvent pas m'aider, ni mille non plus. Avec les quelques francs qui me resteraient je reviendrais demain au Casino et je n'en partirais que quand j'aurais tout perdu. Pourquoi recommencer? J'en ai assez.

Vous ne pouvez pas vous imaginer l'impression que faisait, au fond de mon âme, cette voix sourde; mais représentez-vous ma situation; à deux pas de vous est un être humain, jeune, brillant, plein de vie, de santé, et l'on sait que, si l'on ne met pas en jeu toutes ses forces, dans deux heures cette fleur de jeunesse, qui pense, qui parle et qui respire ne sera plus qu'un cadavre. Alors j'éprouvais comme un désir furieux de triompher de cette résistance insensée. Je saisis son bras, en disant :

— Assez de sottises comme cela! Vous allez

entrer dans l'hôtel et prendre une chambre ;
demain matin je viendrai vous chercher et je
vous conduirai à la gare. Il faut que vous par-
tiez d'ici ; il faut que demain même vous retour-
niez chez vous et je n'aurai pas de cesse avant
de vous voir moi-même muni de votre billet et
monter dans le train. On ne s'ôte pas la vie,
quand on est jeune, pour avoir perdu quelques
centaines ou quelques milliers de francs. Ce
serait une lâcheté, une crise stupide de colère
et d'exaspération. Demain vous me donnerez
vous-même raison.

— Demain ! — répéta-t-il d'un ton étrangement amer et ironique. Demain ! Si tu savais
où je serai demain ! Si je le savais moi-même !
Je suis, à vrai dire, déjà un peu curieux à ce
sujet. Non, rentre chez toi, mon enfant, ne te
donne pas de peine et ne gaspille pas ton argent.

Mais je ne cédai pas. Il y avait en moi comme
une manie, comme une furie. Je saisis violemment sa main, et j'y mis de force le billet de
banque.

— Prenez l'argent et entrez aussitôt !

Et, ce disant, j'allai résolument à la sonnette et je la tirai.

— Bien, maintenant j'ai sonné, le portier va venir ; vous monterez et vous vous coucherez. Demain à neuf heures je vous attendrai devant la maison et je vous conduirai aussitôt à la gare. Ne vous inquiétez pas du reste, je ferai le nécessaire pour que vous puissiez retourner chez vous, Mais à présent couchez-vous, dormez bien et ne pensez plus à rien.

A ce moment, de l'intérieur, la clé grinça dans la porte et le garçon de l'hôtel ouvrit.

— Viens ! — dit alors brusquement le jeune homme, d'une voix dure, décidée, irritée.

Et je sentis autour de mon poignet l'étreinte de fer de ses doigts. Je fus saisie d'effroi... Je fus tellement effrayée, tellement paralysée comme frappée par la foudre que je n'eus plus ma tête à moi... Je voulais me défendre, me dégager... mais ma volonté était inerte... et je... vous le comprendrez... je... j'avais honte,

devant le portier, — qui était là impatient,
de lutter avec un étranger. Et ainsi... ainsi, je
me trouvai brusquement à l'intérieur de l'hôtel.
Je voulais parler, dire quelque chose, mais la
voix s'étouffait dans mon gosier... Sa main était
posée sur mon bras lourdement et autoritaire-
ment... Je sentis obscurément qu'elle me tirait,
sans que j'eusse conscience de ce que je faisais,
au haut de l'escalier... Une clé tourna...

Et soudain, je me trouvai seule avec cet
étranger, dans une chambre étrangère, dans un
hôtel quelconque, dont aujourd'hui encore je
ne sais pas le nom.

Mrs C... s'arrêta de nouveau et elle se leva brusquement ; la voix paraissait ne plus lui obéir. Elle alla à la fenêtre, regarda silencieusement quelques minutes au dehors, ou peut-être ne fit-elle qu'appuyer son front contre la vitre froide : je n'eus pas le courage de m'en rendre compte exactement, car il m'était pénible d'observer la vieille dame en proie à son émotion. Aussi restai-je assis, muet, sans questionner, sans faire de bruit et j'attendis, jusqu'à ce qu'elle revint d'un pas calme et s'assit en face de moi.

— Bien, maintenant, le plus difficile est dit. Et j'espère que vous me croirez si je vous af-

firme encore une fois, si je vous jure sur tout
ce qui m'est sacré, sur mon honneur et sur la
tête de mes enfants, que jusqu'à cette seconde-
là pas la moindre pensée d'une... d'une union
avec cet étranger ne m'était venue à l'esprit,
que réellement j'étais sans volonté et que, privée
de conscience, j'étais tombée soudain, comme
par une trappe, du chemin régulier de mon
existence, dans cette situation. Je vous ai juré
d'être véridique envers vous et envers moi ; je
vous répète encore une fois que c'est uniquement par la volonté presque exaspérée de
secourir ce jeune homme et non par un autre
sentiment, par un sentiment personnel, que
c'est donc tout à fait sans aucun désir, sans
aucune idée de ce qui allait se produire, que je
fus précipitée dans cette aventure tragique.

Vous me dispenserez de vous raconter ce qui
se passa alors dans cette chambre ; je n'ai
jamais oublié ni n'oublierai aucune seconde
de cette nuit. Car, là, j'ai lutté avec un être
humain, pour sauver sa vie, oui, je le répète,

il s'agissait, dans cette lutte, de la vie ou de la mort d'un homme.

Chacun de mes nerfs sentait trop infailliblement que cet étranger, que cet homme, déjà à demi-perdu, s'attachait à la dernière planche de salut, avec toute l'ardeur et la passion de quelqu'un qui est mortellement menacé. Il s'accrochait à moi comme celui qui déjà sent sous lui l'abîme. Quant à moi, je déployai toutes mes ressources, tout ce qu'il y avait en moi, pour le sauver.

On ne vit une heure pareille qu'une seule fois dans sa vie, et cela n'arrive qu'à une personne parmi des millions; je ne me serais jamais doutée, sans ce terrible événement, avec quelle force de désespoir, avec quelle rage effrénée un homme abandonné, un homme perdu aspire une dernière fois la moindre goutte écarlate du sang de la vie; éloignée pendant vingt ans, comme je l'avais été, de toutes les puissances démoniaques de l'existence, je n'aurais jamais compris la manière grandiose et fantastique dont parfois la nature concentre dans quelques souffles rapides tout ce qu'il y a en elle de chaleur et de glace, de vie et de mort, de ravissement et de désespérance. Et cette nuit fut tellement remplie de luttes et de paroles, de passion, de colère et de haine, de larmes de supplication, d'ivresse qu'elle me parut durer mille ans et que nous, — ces deux êtres humains qui chancelaient enlacés vers le fond de l'abîme, l'un portant en lui la folie de la mort, l'autre sans pressentiment — nous sortîmes complètement transformés de cette lutte mortelle, différents, entièrement changés, avec un autre esprit et une autre sensibilité.

Mais je n'en parlerai pas. Je ne peux ni ne veux écrire cela. Je dois, pourtant, vous dire un mot de la minute inouïe que fut mon réveil, le lendemain matin. Je m'éveillai d'un sommeil de plomb, d'une noire profondeur comme je n'en connus jamais. Il me fallut longtemps pour ouvrir les yeux, et la première chose que je vis fut, au-dessus de moi, le plafond d'une chambre inconnue, puis, en tatonnant encore un peu plus, un endroit étranger, ignoré de moi, affreux, dont je ne savais pas comment j'avais pu faire pour y tomber. D'abord, je m'efforçai de croire que ce n'était qu'un rêve, un rêve plus net et plus transparent, auquel avait abouti ce sommeil si lourd et si confus ; mais devant les fenêtres brillait déjà la lumière claire et indéniablement réelle du soleil, la lumière du matin ; on entendait monter les bruits de la rue, avec le roulement des voitures, les sonneries des tramways et la rumeur des hommes ; et maintenant je savais que je ne rêvais pas, mais que j'étais éveillée. Malgré moi, je me redressai, pour reprendre mes esprits, et là..., en tournant mon regard de côté.., là, je vis (jamais je ne pourrai vous décrire ma terreur) un homme inconnu dormant près de moi dans le large lit... mais c'était un étranger, un étranger entièrement étranger, un homme demi-nu et inconnu...

Non, cette terreur, je le sais, ne peut se raconter : elle me saisit si fort que je retombai inanimée. Mais ce n'était pas un évanouissement véritable, dans lequel on n'a plus conscience de rien ; au contraire : avec la rapidité d'un éclair, tout fut pour moi aussi conscient qu'inexplicable et je n'eus plus que le désir de mourir de dégoût et de honte à me trouver ainsi, tout à coup, avec un être absolument inconnu, dans le lit étranger d'un hôtel borgne et apparemment suspect. Il m'en souvient encore nettement, le battement de mon cœur s'arrêta, je retins mon souffle comme si j'avais pu par là mettre fin à ma vie et surtout à ma conscience, à cette conscience claire, d'une clarté épouvantable, qui percevait tout et qui, cependant, ne comprenait rien.

Je ne saurai jamais combien de temps je restai ainsi, étendue, glacée dans tous mes membres : les morts ont une pareille rigidité dans leur cercueil. Je sais seulement que j'avais fermé les yeux et que je priais toutes les puissances du ciel, quelles qu'elles fussent, pour que tout cela ne fût pas vrai, pour que tout cela ne fût pas réel. Mais mes sens aiguisé ne me permettaient plus aucune illusion : j'entendais dans la chambre voisine des hommes parler, de l'eau couler ; dehors des pas glissaient dans le couloir et chacun de ces indices attestait implacablement le cruel état de veille de mes sens.

Je ne puis dire combien de temps dura cette atroce situation : de telles secondes ne sont pas à la mesure de celles de la vie. Mais, soudain, je fus saisie d'une autre crainte ; la crainte sauvage et affreuse que cet étranger, dont je ne connaissais même pas le nom, ne se réveillât et ne m'adressât la parole. Et aussitôt je sus qu'il n'y avait pour moi qu'une seule ressource : m'habiller, m'enfuir avant son réveil. N'être plus vue par lui, ne plus lui parler. Me sauver à temps, m'en aller, m'en aller, pour retrouver de n'importe quelle manière, ma véritable vie, pour rentrer dans mon hôtel et aussitôt, par le premier train, quitter cet endroit maudit, quitter ce pays, pour ne plus jamais rencontrer cet homme, ne plus voir ses yeux, n'avoir plus de témoin, d'accusateur et de complice. Cette pensée triompha de mon évanouissement : très prudemment, avec des mouvements furtifs d'un voleur, je sortis du lit et je saisis à tâtons mes vêtements, en avançant pouce par pouce (pour ne pas faire de bruit).

Je m'habillai avec des précautions infinies, redoutant à chaque instant son réveil et déjà j'étais prête, déjà j'étais parvenue à mes fins. Seul mon chapeau était encore de l'autre côté, au bout du lit, et alors, tandis que, en marchant sur la pointe des pieds, je tâtonnais pour l'attraper, à cette seconde-là, *je ne pus pas* agir différemment : malgré moi il me fallut jeter encore un regard sur le visage de cet homme qui était tombé dans ma vie comme une pierre du haut d'une corniche. Je ne voulais jeter sur lui qu'un regard mais... chose bizarre, car le jeune étranger qui était là sommeillant était véritablement un étranger pour moi : au premier moment, je ne reconnus pas le visage de la veille. En effet, les traits tendus, crispés par la passion et convulsivement bouleversés de cet homme mortellement surexcité étaient comme effacés ; l'individu étendu là devant moi avait une autre figure, enfantine, celle d'un petit garçon et qui, franchement, rayonnait de pureté et de sincérité. Les lèvres, hier serrées et crispées entre les dents, rêvaient, suavement déployées et déjà à demi arrondies pour le sourire ; les cheveux blonds étalaient leurs boucles molles sur le front sans plis et la respiration passait paisiblement sur le corps en repos, comme un doux jeu d'ondes sortant de la poitrine.

Vous vous rappelez peut-être que je vous ai dit précédemment n'avoir encore jamais observé, avec autant de force et à un degré aussi violemment accusé que chez cet étranger assis à la table de jeu, l'expression de l'avidité farouche et de la passion chez un homme. Et je vous dirai à présent que jamais, même chez les enfants, qui, quand ils dorment d'un sommeil de nourrisson, ont souvent autour d'eux une lueur de sérénité angélique, je n'ai vu une pareille expression de pureté limpide, de sommeil véritablement bienheureux. Sur ce visage, tous les sentiments s'inscrivaient avec une plasticité sans pareille, et c'était maintenant une détente paradisiaque, une libération de toute lourdeur intérieure, un allégement, une délivrance.

A cet aspect étonnant, toute anxiété, toute peur tomba de moi, comme un lourd manteau noir; je n'avais plus honte, non, j'étais presque heureuse. Cet événement terrible et incompréhensible avait soudain un sens pour moi; je me réjouissais, j'étais fière à la pensée que ce jeune homme, délicat et beau, qui était couché ici serein et calme comme une fleur, sans mon dévouement aurait été trouvé, quelque part au flanc d'un rocher, brisé, sanglant, le visage fracassé, sans vie et les yeux grands ouverts; je l'avais sauvé, il était sauvé! Et je regardais maintenant d'un œil maternel (je ne trouve pas d'autre mot) cet adolescent endormi à qui j'avais redonné la vie, avec plus de souffrance que lorsque mes propres enfants étaient venus au monde. Et au milieu de cette chambre crasseuse et garnie de vieilleries, dans ce régugnant et malpropre hôtel de rencontre, j'éprouvai tout à coup (aussi ridicules que les mots vous paraissent) le même sentiment que si j'avais été dans une église, une impression bienheureuse de miracle et de sanctification. De la seconde la plus épouvantable que j'avais vécue dans toute mon existence, naissait en moi, comme une sœur, une autre seconde, la plus étonnante et la plus puissante qui fût.

Avais-je fait trop de bruit, avais-je parlé, sans m'en rendre compte? Je ne le sais pas. Mais soudain le dormeur ouvrit les yeux. Je fus effrayée et je reculai brusquement. Il regarda surpris autour de lui, tout comme je l'avais fait moi-même auparavant, et il parut sortir péniblement d'une profondeur et d'un chaos immenses. Son regard faisait, non sans effort, le tour de cette chambre étrangère et inconnue, puis il s'arrêta sur moi, avec stupéfaction. Mais avant même qu'il pût parler ou retrouver tous ses esprits, je m'étais ressaisie. Il ne fallait pas lui laisser prononcer une parole, lui permettre une question, une familiarité ; rien de ce qui s'était passé hier et cette nuit ne devait se répéter, s'expliquer, se discuter.

— Il faut que je m'en aille. — lui signifiai-je rapidement. Vous, restez ici et habillez-vous. A midi je vous verrai à l'entrée du Casino : là, je m'occuperai de tout le nécessaire.

Et, avant qu'il pût dire un seul mot je m'enfuis, pour de plus voir cette chambre, et je courus sans me retourner, hors de cette maison, dont je savais aussi peu le nom que celui de l'étranger avec qui j'y avais passé la nuit.

Mrs C... interrompit son récit, le temps de reprendre haleine. Mais toute tension et tout tourment avaient disparu de sa voix. Comme une voiture qui monte d'abord péniblement la côte, mais qui, après avoir atteint la hauteur, redescend la pente en roulant légère et rapide, son récit avait maintenant des ailes, et elle poursuivit allégée :

— Donc je courus chez moi, à travers les rues remplies de la clarté matinale, l'orage ayant chassé du ciel, au-dessus d'elles, tout nuage, comme était dissipé en moi, à présent, tout sentiment douloureux, En effet, n'oubliez pas ce que je vous ai précédemment raconté : depuis la mort de mon mari, j'avais complètement renoncé à la vie. Mes enfants n'avaient pas besoin de moi, je ne m'intéressais pas à moi-même, et toute vie qui ne se voue pas à un but déterminé est une erreur. Or, pour la première fois, à l'improviste, une mission m'incombait : j'avais sauvé un homme, je l'avais arraché à la destruction, en mettant en jeu toutes mes forces. Il ne restait plus qu'à triompher d'un petit obstacle, pour mener cette mission à bonne fin.

J'arrivai à mon hôtel : le regard du portier, exprimant l'étonnement de me voir rentrer chez moi seulement à neuf heures du matin, glissa sur moi sans m'émouvoir ; de la honte et du chagrin que j'avais eus, rien ne subsistait plus en moi : mais une renaissance soudaine de ma volonté de vivre, un sentiment neuf de l'utilité de mon existence faisaient couler dans mes veines un sang chaud et abondant. Arrivée dans ma chambre, je changeai rapidement de costume ; je quittai sans m'en rendre

compte (ce n'est que plus tard que je le remarquai) mon vêtement de deuil pour en prendre
un plus clair; j'allai à la banque chercher de
l'argent; je me rendis en hâte à la gare pour me
renseigner sur le départ des trains; avec une
décision qui m'étonnait moi-même, je réglai
en outre quelques autres affaires et rendez-
vous. Il ne me restait plus qu'à assurer le
retour dans son pays et le sauvetage définitif
de cet homme que le destin m'avait confié.

A vrai dire, il me fallait de l'énergie pour
l'aborder maintenant. Car, la veille, tout s'était
passé dans l'obscurité. dans un tourbillon,
comme quand deux pierres entraînées par un
torrent se heurtent soudain; nous nous con-
naissions à peine de visage à visage, et je n'étais
même pas certaine que l'étranger pût encore
me reconnaître. La veille, ç'avait été un hasard,
une ivresse, la folie démoniaque de deux êtres
égarés, mais aujourd'hui, il fallait que je me
livrasse à lui plus ouvertement qu'hier, parce
que maintenant, à la clarté impitoyable de la

lumière du jour, j'étais forcée de l'accoster, avec ma personne, avec mon visage, en tant qu'être humain.

Mais tout cela se fit plus facilement que je ne le pensais. A peine, à l'heure convenue, m'étais-je approchée du Casino qu'un jeune homme se leva d'un banc et courut au-devant de moi. Il y avait quelque chose d'aussi spontané, d'aussi enfantin, d'aussi ingénu et d'aussi heureux dans sa surprise que dans chacun de ses mouvements si expressifs : il volait ainsi vers moi avec dans le regard un rayon de joie reconnaissante et en même temps respectueuse, et, dès que ses yeux sentirent qu'en sa présence les miens se troublaient, ils se baissèrent humblement. Ah ! la reconnaissance, on la voit si rarement se manifester chez les hommes ! Et précisément les plus reconnaissants ne trouvent pas l'expression qu'il faudrait ; ils se taisent, tout troublés ; ils ont honte et contrefont souvent l'embarras, pour cacher leurs sentiments. Mais ici dans cet être, à qui Dieu, comme un sculpteur mysté-

rieux avait donné tous les gestes capables d'exprimer les sentiments d'une manière sensible,
belle et plastique, le geste de la reconnaissance
brillait comme une passion qui rayonnait à
travers le corps.

Il se pencha sur ma main et, la ligne étroite
de sa tête d'enfant dévotement inclinée, il resta
ainsi pendant une minute à me baiser respectueusement les doigts en ne faisant que les
effleurer ; puis il se recula, s'informa de ma
santé, me regarda avec attendrissement et il y
avait tant de décence dans chacune de ses
paroles qu'au bout de quelques minutes toute
inquiétude m'eut quittée.

Et, comme un reflet de mon propre allège-
ment moral, le paysage brillait autour de nous,
complètement apaisé : la mer, qui, la veille,
était colèreuse, apparaissait si calme, silencieuse
et limpide que chaque caillou, sous les petits
flots ourlant le rivage laissait apercevoir, de
l'endroit où nous étions, son blanc éclat ; le
Casino, cet abîme infernal, dressait sa clarté

mauresque dans le ciel balayé de frais et couleur de damas; et le kiosque, sous l'auvent
duquel nous étions hier serrés pour nous mettre
à l'abri de la pluie battante, était devenu une
boutique épanouissante de fleuriste : il y avait
là, à foison, blancs, rouges, verts et multico-
lores, dans un pêle-mêle diapré, de larges bouquets de fleurs et de verdure que vendait une
jeune fille à la blouse d'une teinte éclatante.

J'invitai l'étranger à déjeuner dans un petit
restaurant ; là le jeune homme me raconta l'histoire de sa tragique aventure. C'était l'entière
confirmation de mon premier pressentiment,
lorsque j'avais vu sur le tapis vert ses mains
tremblantes et nerveusement agitées. Il des-
cendait d'une famille de vieille noblesse de la
Pologne autrichienne ; il se destinait à la carrière diplomatique ; il avait fait ses études à
Vienne et, un mois auparavant, il avait passé
le premier de ses examens avec un succès
extraordinaire. Pour fêter ce jour-là, son oncle,
un haut officier de l'état-major général, chez

qui il habitait, l'avait conduit en fiacre au Prater et ils étaient allés ensemble au champ de courses.

L'oncle fut heureux au jeu ; il gagna trois fois de suite : lestés d'un gros paquet de billets de banque ainsi acquis, ils dînèrent ensuite dans un élégant restaurant. Le lendemain, pour le récompenser de son succès à l'examen, le futur diplomate reçut de son père une somme d'argent égale à la mensualité qu'on lui faisait ; deux jours plus tôt cette somme lui aurait semblé énorme, mais maintenant, après la facilité de ce gain, elle lui parut insignifiante et mesquine. Aussi, dès qu'il eut déjeuné, il retourna à l'hippodrome, paria passionnément et farouchement, et son bonheur (ou plutôt son malheur) voulut qu'il quittât le Prater, après la dernière course, avec le triple de son argent.

Dès lors la rage du jeu, tantôt aux courses, tantôt dans les cafés ou dans les clubs, s'empara de lui, dévorant son temps, ses études, ses nerfs et surtout ses ressources. Il n'était plus capable de penser, de dormir en paix et encore moins de se dominer ; une fois, c'était la nuit, rentré du club où il avait tout perdu, il trouva, en se déshabillant, un billet de banque oublié et tout froissé dans son gilet ; ce fut plus fort que lui, il se rhabilla et rôda à droite et à gauche, jusqu'à ce qu'il trouva dans un café quelconque des joueurs de dominos, avec qui il resta jusqu'à la pointe de l'aube.

Un jour, sa sœur, qui était mariée, vint à son aide en payant les dettes qu'il avait contractées auprès d'usuriers empressés à ouvrir un crédit à l'héritier d'un grand nom. Pendant un certain temps la chance le favorisa, mais ensuite ce fut la déveine continuelle, et plus il perdait, plus ses engagements non remplis et sa parole d'honneur donnée et non tenue exigeaient impérieusement, pour le sauver, des gains importants. Il y avait longtemps déjà qu'il avait donné en gage sa montre, ses vêtements, et finalement se produisit l'acte épouvantable : il vola à sa vieille tante, dans une armoire, deux gros boutons enrichis de pierreries, qu'elle portait rarement. Il engagea l'un deux contre une forte somme, laquelle, le soir même, fut quadruplée par le jeu. Mais, au lieu de se retirer, il risqua le tout et il perdit.

Au moment de son départ en voyage, le vol n'était pas encore découvert ; aussi il engagea le second joyau et, obéissant à une inspiration subite, il se rendit d'un trait à Monte-Carlo, pour gagner à la roulette la fortune qu'il rêvait. Déjà il avait vendu sa malle, ses habits, son parapluie ; il ne lui restait plus rien que son revolver, avec quatre balles et une petite croix ornée de pierres précieuses, que lui avait donnée sa marraine, la princesse de X..., et dont il ne voulait pas se séparer. Mais, l'après-midi, il avait vendu cette croix pour cinquante francs, uniquement afin de pouvoir le soir même essayer de goûter une dernière fois à la joie frémissante du jeu, à la vie ou à la mort.

Il me racontait tout cela avec la grâce captivante de son être qui savait si bien animer les choses. Et j'écoutais, émue, ébranlée, empoignée par l'intérêt ; mais pas un seul instant je n'eus la pensée de m'indigner, cet homme qui se trouvait là, à ma table, étant, après tout, un voleur. Si, la veille, quelqu'un m'avait simplement insinué que moi, femme au passé irréprochable et exigeant dans sa société une dignité stricte et conventionnelle, je serais un jour assise familièrement à côté d'un jeune homme totalement étranger, à peine plus âgé que mon fils, et qui avait volé des pierreries, je l'aurais tenu pour un insensé.

Mais pas un seul moment au cours de son récit je n'éprouvai un sentiment d'horreur ; il racontait tout cela si naturellement et avec une telle passion que son acte paraissait plutôt l'effet d'un état de fièvre, d'une maladie qu'un délit scandaleux. Et ensuite, pour quelqu'un qui, comme moi, avait, la nuit passée, vécu des événements si inattendus, précipités comme une cataracte, le mot «impossible» avait perdu brusquement son sens. Dans ces dix heures, l'expérience que j'avais acquise de la réalité était infiniment plus grande que celle que m'avaient procurée précédemment quarante ans de vie bourgeoise.

Cependant, il y avait une chose qui m'effrayait dans cette confession : c'était l'éclat fiévreux qui passait dans ses yeux et qui faisait vibrer électriquement tous les muscles de son visage lorsqu'il parlait de sa passion du jeu. Le simple récit de la chose suffisait à l'exciter, et avec une terrible netteté son visage plastique exprimait en traits joyeux ou douloureux les mouvements de tension qui se succédaient en lui. Malgré lui ses mains, ses mains admirables, nerveuses et aux souples articulations, redevinrent, tout comme à la table de jeu, elles-mêmes, des êtres rapaces, furibonds et fuyants : je les voyais, tandis qu'il racontait, frémir soudain aux articulations, se courber vivement et se crisper en forme de poing, puis se détendre et de nouveau se pelotonner l'une dans l'autre.

Et, au moment où il confessait le vol des boutons, elles mimèrent (ce qui me fit tressaillir malgré moi), bondissantes et rapides comme l'éclair, le geste du voleur ; je vis véritablement les doigts s'élancer follement sur la parure et l'engloutir prestement dans le creux de la main. Et je reconnus avec un effroi indicible que cet homme était empoisonné par sa passion, jusque dans la dernière goutte de son sang.

Ce qui, dans son récit, m'émouvait et me terrifiait tellement, c'était uniquement cet asservissement d'un homme jeune, serein et insouciant par nature, à une passion insensée. Aussi je considérai comme mon premier devoir de persuader amicalement à mon protégé improvisé de quitter aussitôt Monte-Carlo, où la tentation était très dangereuse ; il fallait que le jour même il partît retrouver sa famille avant que la disparition des boutons fût remarquée et que son avenir fût ruiné pour toujours. Je lui promis de l'argent pour le voyage et pour le dégagement de la parure, mais seulement à la condition qu'il prît le train le jour même et qu'il me jurât sur son honneur qu'il ne toucherait plus une carte ou ne participerait plus à aucun jeu de hasard.

Je n'oublierai jamais la reconnaissance passionnée, d'abord humble, puis peu à peu s'illuminant, avec laquelle cet étranger, cet homme perdu, m'écoutait ; je n'oublierai jamais la façon dont il buvait mes paroles lorsque je lui promis de l'aider ; et soudain il allongea ses deux mains au-dessus de la table pour saisir les miennes avec un geste, qui restera toujours gravé dans mon esprit, à la fois d'adoration et de sainte attestation. Dans ses yeux clairs, jusqu'alors un peu vagues, il y avait des larmes ; tout son corps tremblait nerveusement d'émotion de bonheur.

J'ai déjà tenté à plusieurs reprises de vous décrire l'expression unique de sa physionomie et de son attitude ; mais ce geste-là, je ne puis le dépeindre, car c'était une béatitude si extatique et si surnaturelle qu'on en voit presque jamais de pareille dans une figure

humaine ; elle n'était comparable qu'à cette
ombre blanche qu'on croit apercevoir au sortir
d'un rêve lorsqu'on s'imagine avoir devant soi
la face d'un ange qui disparait

Pourquoi le dissimulerais-je ? Je ne résistai
pas à l'éloquence de cette scène. La gratitude
rend heureux, parce qu'on la rencontre si rarement incarnée d'une manière visible ; la délica-
tesse fait du bien, et, pour moi, personne froide
et mesurée, une telle exaltation était quelque
chose de nouveau, de bienfaisant et de déli-
cieux. Et aussi, tout comme cet homme ébranlé
et brisé, le paysage, après la pluie de la veille,
s'était magiquement épanoui.

Lorsque nous sortîmes du restaurant, la mer,
tout à fait apaisée, brillait magnifiquement,
bleue jusqu'aux hauteurs du ciel, et seulement
piquée de blanc là où au-dessus d'elle planaient
des mouettes dans un autre azur, dans celui du
ciel. Vous connaissez, n'est-ce pas ? le paysage
de la Riviera. Il produit toujours une impression de beauté, mais un peu fade, comme une

carte postale illustrée, il présente mollement à l'œil ses couleurs toujours intenses, à la manière d'une belle, somnolente et paresseuse, qui laisse passer sur elle avec indifférence tous les regards, — presque d'un caractère oriental, dans son abandon éternellement prodigue.

Cependant, parfois, très rarement, il y a des jours où cette beauté s'exalte, où elle surgit avec passion, où elle fait crier avec énergie ses couleurs vives, fanatiquement étincelantes, où elle vous lance à la tête victorieusement la richesse bariolée de ses fleurs, où elle éclate et brûle de sensibilité. C'était un pareil jour d'enthousiasme qui alors avait succédé au chaos déchaîné de la nuit d'orage ; la rue lavée de frais était toute brillante, le ciel était de turquoise et partout dans la verdure saturée de sève s'allumaient des bouquets, des flambeaux de couleurs. Les montagnes paraissaient soudain plus claires et plus rapprochées dans l'atmosphère calmée et baignée de soleil : elles se groupaient curieuses le plus près possible de la

petite ville scintillante et astiquée à plaisir ;
dans chaque regard on sentait l'invitation pro-
vocante et les encouragements de la nature,
qui vous saisissait le cœur malgré vous :

— Prenons une voiture, — dis-je, — et fai-
sons le tour de la Corniche.

Il fit signe que oui avec allégresse : pour la
première fois depuis son arrivée, ce jeune
homme paraissait voir et remarquer le paysage.
Jusqu'à présent, il n'avait connu que la salle
étouffante du Casino, avec ses parfums lourds
imprégnés de sueur, avec le tumulte de ses
humains hideux et aux traits grimaçants, et une
mer morose, grise et tapageuse. Mais maintenant l'immense éventail du littoral inondé de
soleil était déployé devant nous, et l'œil allait
avec bonheur d'un horizon à l'autre. Nous par-
courûmes dans notre lente voiture (l'automobile n'existait pas encore) le magnifique chemin, en passant devant de nombreuses villas et
de nombreuses gens ; cent fois, devant chaque
maison, devant chaque villa ombragée dans la

verdure des pins-parasols, on éprouvait ce secret désir : ici, qu'il ferait bon vivre, calme, content, retiré du monde !

Ai-je jamais été plus heureuse dans ma vie qu'à cette heure-là? A côté de moi, dans la voiture, la veille encore étreint par les griffes de la fatalité et de la mort, et maintenant auréolé par les rayons blancs du soleil, le jeune homme semblait rajeuni et allégé de plusieurs années. Il paraissait redevenu tout gamin, un bel enfant joueur, aux yeux ardents et en même temps pleins de respect, en qui rien ne me ravissait autant que sa délicate prévenance toujours en éveil : si la côte était trop raide, et si le cheval avait du mal à traîner la voiture, il sautait lestement, pour pousser derrière. Si je citais un nom de fleur, ou si j'en indiquais une le long du chemin, il courait la cueillir. Il ramassa et porta avec précaution dans l'herbe verte, pour qu'il ne fût pas écrasé par la voiture, un petit crapaud qui, attiré par la pluie de la veille, se traînait péniblement sur le chemin ; et, entre temps, il racontait avec exubérance les choses les plus amusantes et les plus gracieuses ; je crois que la façon dont il riait était pour lui une sorte de dérivatif, car autrement il aurait été obligé de chanter, de sauter ou de faire le fou, tant il y avait de bonheur et d'ivresse dans la soudaine exaltation de son attitude.

Lorsque, sur la hauteur, nous traversâmes lentement un hameau minuscule, il tira poliment son chapeau, d'un geste subit. Je fus étonnée : qui saluait-il là, lui, étranger, parmi des étrangers ? Il rougit légèrement à ma question et me dit presque en s'excusant que nous étions passés devant l'église et que chez lui, en Pologne, comme dans tous les pays strictement catholiques, on avait l'habitude, dès l'enfance, de se découvrir devant chaque église et devant chaque sanctuaire.

Ce beau respect devant les choses de la religion m'émut profondément ; en même temps je me rappelai cette croix dont il m'avait parlé et je lui demandai s'il était croyant ; lorsque, avec

une mine un peu honteuse, il m'eut avoué
modestement qu'il espérait avoir part au salut,
soudain une pensée me vint :

— Arrêtez ! — criai-je au cocher.

Et je descendis vite de la voiture. Il me suivit, surpris, en disant :

— Où allons-nous ?

Je répondis seulement :

— Venez avec moi.

Je revins, accompagnée par lui, vers l'église,
petit sanctuaire campagnard construit en bri-
ques. Les murs intérieurs apparaissaient, dans
la pénombre, badigeonnés de chaux, gris et nus ;
la porte était ouverte, de sorte qu'un cône de
lumière jaune se découpait nettement daus
l'obscurité, où l'ombre dessinait en bleu les
contours d'un petit autel. Deux bougies regar-
daient d'un œil voilé, dans le crépuscule impré-
gné d'un chaud parfum d'encens. Nous en-
trâmes ; il ôta son chapeau, plongea la main
dans le bénitier, se signa et ploya le genou. Et, à
peine se fut-il relevé, que je le saisis par le bras.

137

— Venez, — fis-je énergiquement, — vers un autel ou vers une de ces images qui vous sont sacrées, et vous allez y prononcer le serment que je vais vous indiquer.

Il me regarda, étonné, presque effrayé. Mais ayant vite compris, il s'approcha d'une niche où était une statue, fit le signe de la croix et s'agenouilla docilement.

— Répétez après moi, — fis-je, en tremblant moi-même d'émotion. — répétez après moi : « Je jure » (« Je jure », répéta-t-il, puis je continuai) « que je ne prendrai jamais plus part à un jeu de hasard, de quelque nature qu'il soit, et que je n'exposerai plus ma vie et mon honneur aux dangers de cette passion. »

Il répéta ces paroles en tremblant : avec force et netteté elles résonnèrent dans le vide absolu du lieu. Puis il y eut un moment de silence, si grand que l'on pouvait entendre au dehors le léger bruissement des arbres, dans les feuilles desquels le vent passait. Et, soudain, il se prosterna comme un pénitent et il prononça, avec une extase toute nouvelle pour moi, en langue polonaise, des paroles rapides et enchaînées, et que je ne comprenais pas. Mais ce devait être une prière extatique, une prière de reconnaissance, de contrition, car cette confession tempétueuse courbait sans cesse sa tête humblement par dessus l'appui du prie-Dieu; toujours plus passionnés se répétaient les sons étrangers, et c'était toujours avec plus de véhémence qu'une même parole jaillissait de sa bouche avec une indicible ferveur. Jamais auparavant, et jamais depuis lors je n'ai entendu prier de la sorte dans aucune église au monde. Ses mains étreignaient nerveusement le prie-Dieu en bois, tout son corps était secoué par un ouragan intérieur, qui parfois le portait à se lever brusquement et parfois le rejetait dans une prosternation profonde. Il ne voyait ni ne sentait plus rien : tout en lui semblait se passer dans un autre monde, dans un purgatoire de purification ou dans un élan vers une sphère de plus grande sainteté.

Enfin, il se leva lentement, se signa encore et se retourna avec peine ; ses genoux tremblaient, son visage était pâle comme celui de quelqu'un qui est épuisé. Mais, lorsqu'il me vit, son œil rayonna, un sourire pur et véritablement pieux éclaira sa figure penchée ; il s'approcha de moi, s'inclina très bas, à la manière slave, et saisit mes deux mains, pour les toucher respectueusement du bout des lèvres :

— Dieu vous a envoyée à moi. Je viens de l'en remercier.

Je ne savais que dire. Mais j'aurais souhaité que soudain, du haut de sa petite estrade, l'orgue se mît à retentir, car je sentais que j'avais réussi en tout : cet homme, je l'avais sauvé pour toujours.

Nous sortîmes de l'église pour revenir dans la lumière radieuse et ruisselante de cette journée de mai : jamais le monde ne m'avait paru si beau. Pendant deux heures encore nous suivîmes en voiture, lentement, jusqu'au sommet de la montagne, le chemin panoramique, qui à chaque tournant offrait une nouvelle vue. Mais nous ne dîmes plus rien. Après cette exaltation du sentiment, toute parole semblait faible et vaine. Et, lorsque mon regard atteignait par hasard le sien, je me sentais obligée de le détourner avec confusion : c'était pour moi une émotion trop grande que de voir mon propre miracle.

Vers cinq heures de l'après-midi nous rentrâmes à Monte-Carlo. J'avais alors un rendez-vous avec des parents qu'il ne m'était plus possible de différer. Et, à vrai dire, je désirais profondément une pause, une détente à cette violente exaltation de mon sentiment. Car c'était trop de bonheur. Je sentais qu'il me fallait une diversion à cet état d'extase et d'ardeur excessive, comme je n'en avais jamais connu de semblable dans mon existence. Aussi je priai mon protégé de venir avec moi à l'hôtel, seulement pour un instant. Là, dans ma chambre, je lui remis l'argent nécessaire pour le voyage et pour le dégagement de la parure. Nous convînmes que pendant mon rendez-vous il prendrait son billet au chemin de fer ; puis le soir, à sept heures, nous nous rencontrerions dans le hall de la gare une demi-heure avant le départ du train qui, par Gênes, le ramènerait chez lui. Lorsque je voulus lui tendre les cinq billets de banque, ses lèvres devinrent d'une pâleur singulière :

— Non... pas d'argent... Je vous en prie, pas d'argent ! — fit-il entre ses dents, tandis que ses doigts tremblants se reculaient avec nervosité et agitation.

— Pas d'argent... Pas d'argent... je ne puis pas le voir,—répéta-t-il encore une fois, comme physiquement terrassé par la crainte et le dégoût. Mais j'apaisai son scrupule en disant que ce n'était qu'un prêt et que, s'il se sentait gêné, il n'avait qu'à m'en donner un reçu.

— Oui... oui... un reçu, — murmura-t-il en détournant les yeux ; il froissa les billets de banque comme quelque chose de gluant qui salit les doigts, il les mit dans sa poche sans les regarder et il écrivit sur une feuille de papier quelques mots en traits précipités. Lorsqu'il leva les yeux, il y avait sur son front une sueur moite : quelque chose semblait lutter violemment pour sortir de son être; à peine m'eût-il remis nerveusement ce bout de papier, qu'il fut saisi d'un grand tremblement par tout le corps, et soudain (malgré moi, je me reculai, effrayée) il tomba à genou et baisa l'ourlet de ma robe. Geste indescriptible : sa véhémence sans pareille me fit trembler de part en part. Un étrange frisson me parcourut, je fus toute troublée et je ne pus que balbutier :

— Je vous remercie de ce que vous êtes si reconnaissant; mais, je vous en prie, maintenant partez. Ce soir à sept heures, dans le hall de la gare, nous prendrons congé l'un de l'autre.

Il me regarda; un éclat attendri mouillait son regard; je crus qu'il voulait me dire quelque chose; pendant un instant il eut l'air de chercher à s'approcher de moi. Mais ensuite il s'inclina soudain encore une fois, profondément, très profondément, et il quitta la chambre.

De nouveau Mrs C... interrompit son récit. Elle s'était levée et elle était allée à la fenêtre; elle regarda dehors et resta debout longtemps, sans bouger : je voyais comme un léger tremblement dans la silhouette de son dos. Brusquement elle se retourna avec décision : ses mains, jusqu'alors calmes et indifférentes, eurent tout à coup un mouvement violent, un mouvement tranchant, comme si elle voulait déchirer quelque chose. Puis elle me regarda durement, presque avec audace, et elle reprit aussitôt:

— Je vous ai promis d'être entièrement sincère. Et je m'aperçois combien nécessaire était cette promesse, car c'est à présent seulement, en m'efforçant de décrire pour la première fois d'une manière ordonnée tout ce qui s'est passé dans cette heure-là et en cherchant des mots précis pour exprimer un sentiment qui alors était tout replié et confus, c'est maintenant seulement que je comprends avec netteté beaucoup de choses que je ne savais pas ou que peut-être je ne voulais pas savoir; c'est pourquoi je veux dire, à moi-même comme à vous, la vérité, avec énergie et résolution: alors, à cette heure-là, quand le jeune homme quitta la chambre et que je restai seule, j'eus (ce fut comme un évanouissement qui s'empara lourdement de moi) j'eus la sensation d'un coup dur venant frapper mon cœur. Quelque chose m'avait fait un mal mortel, mais je ne savais pas (ou bien je refusais de savoir) de quelle manière l'attitude si attendrissante et si respectueuse de mon protégé m'avait blessée si douloureusement.

Mais aujourd'hui que je m'efforce de faire surgir du fond de moi-même, comme une chose étrangère, tout le passé avec ordre et énergie et que votre présence ne tolère aucune dissimulation, aucune lâche échappatoire d'un sentiment de honte, aujourd'hui je le sais clairement : ce qui alors me fit tant de mal, c'était la déception... la déception de voir... que ce jeune homme était parti si docilement... sans aucune tentative pour me garder, pour rester auprès de moi... de voir qu'il obéissait humblement et respectueusement à ma première demande l'invitant à s'en aller, au lieu... au lieu d'essayer de me tirer violemment à lui... de voir qu'il me vénérait uniquement comme une sainte apparue sur son chemin... et qu'il... qu'il ne sentait pas que j'étais une femme.

Ce fut pour moi une déception... une déception que je ne m'avouai pas, pas plus alors que plus tard ; mais le sentiment d'une femme se rend compte de tout, sans paroles et sans conscience précise. Car... maintenant, je ne m'abuse plus..., si cet homme m'avait alors saisie, s'il m'avait demandé de le suivre, je serais allée avec lui jusqu'au bout du monde; j'aurais déshonoré mon nom et celui de mes enfants... Indifférente aux discours des gens et à la raison intérieure, je me serais enfuie avec lui, comme cette Mme Henriette s'est enfuie avec le jeune Français que la veille elle ne connaissait pas encore... Je n'aurais pas demandé ni où j'allais, ni pour combien de temps; je n'aurais pas jeté un seul regard derrière moi, sur ma vie passée... J'aurais sacrifié à cet homme mon argent, mon nom, ma fortune, mon honneur... Je serais allée mendier et probablement il n'y a pas de bassesse au monde à laquelle il ne m'eût amenée à consentir. J'aurais rejeté tout ce que parmi les hommes on nomme pudeur et réserve; si seulement il s'était avancé vers moi, en disant une parole ou en faisant un seul pas, s'il avait tenté de me prendre, à cette seconde j'étais perdue et liée à lui pour toujours.

Mais... je vous l'ai déjà dit... cet être singulier ne jeta plus un regard sur moi, sur la femme qui était en moi... Et combien je brûlais de m'abandonner, de m'abandonner toute, je ne le sentis que lorsque je fus seule avec moi-même, lorsque la passion qui, un instant auparavant exaltait encore son visage illuminé et presque séraphique, fut retombée obscurément dans mon être et se mit à palpiter dans le vide d'une poitrine délaissée. Je me levai avec peine ; mon rendez-vous m'était doublement désagréable. Il me semblait que mon front était surmonté d'un casque de fer lourd et oppressant, sous le poids duquel je chancelais : mes pensées étaient décousues et aussi incertaines que mes pas, lorsque je me rendis enfin à l'autre hôtel, auprès de mes parents.

Là je restai assise la tête morne au milieu d'une causerie animée, et j'éprouvai un sentiment d'effroi chaque fois que par hasard je levais les yeux et que je rencontrais ces visages inexpressifs qui (comparés avec celui de ce jeune homme, animé, semblait-il, par les ombres et les lumières d'un jeu de nuages) me paraissaient glacés ou recouverts d'un masque.

Il me semblait être au milieu de personnes mortes, si terriblement dépourvue de vie était cette société ; et, tandis que je mettais du sucre dans ma tasse et que je disais quelques mots, l'esprit absent, toujours au-dedans de moi-même surgissait, comme sous la poussée brûlante de mon sang, cette figure dont la contemplation était devenue pour moi une joie ardente et que (pensée effroyable !) dans une ou deux heures je verrais pour la dernière fois. Sans doute, malgré moi, j'avais poussé un léger soupir ou un gémissement, car soudain la cousine de mon mari se pencha vers moi, pour me demander ce que j'avais et si je ne me trouvais pas bien, ayant l'air toute pâle et toute soucieuse. Cette question inattendue fut vite saisie par moi comme l'occasion de déclarer aussitôt qu'effectivement je souffrais d'une migraine ; et, par conséquent, je demandai la permission de me retirer sans me faire remarquer.

Ainsi rendue à moi-même, je rentrai en toute hâte à mon hôtel. A peine y fus-je et m'y trouvais-je seule que de nouveau j'éprouvai un sentiment de vide et d'abandon, et que le désir d'être auprès de ce jeune homme que je devais laisser aujourd'hui pour toujours m'étreignit avec fureur. J'allais et venais dans ma chambre, j'ouvrais sans motif des tiroirs, je changeai de costume et de rubans, pour me trouver brusquement devant le miroir, me demandant, d'un œil inquisiteur, si, ainsi parée, je ne pourrais pas attacher son regard sur moi. Subitement, je me compris : faire tout pour ne pas le quitter ! Et, dans une seconde, toute de véhémence, ce désir devint une résolution.

Je courus trouver le portier de l'hôtel, lui annonçant que je partais le jour même par le train du soir. Et maintenant il s'agissait de faire vite : je sonnai la femme de chambre, pour qu'elle m'aidât à préparer mes bagages, car le temps pressait ; tandis que, avec une commune hâte, nous entassions dans les malles les vêtements et les menus objets usuels, je me représentais par avance tout ce que serait cette surprise : comment je l'accompagnerais jusqu'au train, et, lorsque, au dernier, au tout dernier moment, il me tendrait déjà la main pour l'adieu final, comment je suivrais brusquement dans le wagon le jeune homme étonné, pour être avec lui, cette nuit-là, la nuit suivante, tant qu'il me voudrait.

Une sorte d'ivresse ravie et enthousiaste tourbillonnait dans mon sang, parfois je riais très fort, à l'improviste, tout en jetant les robes dans mes malles, au grand étonnement de la femme de chambre : mon esprit, je le sentais bien, n'était plus dans son assiette ; lorsque le commissionnaire vint pour prendre les malles, je le regardai d'abord d'un air de surprise : il m'était trop difficile de penser aux choses positives, tandis que l'exaltation faisait déborder entièrement mon âme.

Le temps pressait ; il pouvait être près de six heures, tout au plus s'il restait vingt minutes jusqu'au départ du train. Je me consolai en songeant que ce n'était plus à une séparation et

à un adieu que j'allais, puisque j'étais résolue
à l'accompagner dans son voyage tant qu'il me
le permettrait. Le commissionnaire prit mes
malles et je me précipitai au bureau de l'hôtel
pour acquitter ma note. Déjà le gérant me rendait l'argent, déjà j'étais prête à sortir lorsqu'une main toucha délicatement mon épaule.
Je sursautai. C'était ma cousine, qui, inquiète
de mon prétendu malaise, était venue me voir.
Mes yeux s'obscurcirent. Je n'avais vraiment
que faire d'elle; chaque seconde de délai
signifiait un retard fatal; cependant, la poli-
tesse m'obligeait à l'écouter et à lui répondre,
au moins pendant un moment.

— Il faut que tu te couches, insista-t-elle,
— à coup sûr, tu as de la fièvre.

Et c'était fort possible, car je sentais mes
tempes battre avec une extrême violence et
parfois passaient sur mes yeux ces ombres
bleues qui annoncent l'approche d'un évanouissement. Mais je protestai, je m'efforçai d'avoir
l'air reconnaissante, tandis que chaque parole

me brûlait et que j'aurais aimé repousser d'un coup de pied cette sollicitude si inopportune. Mais l'indésirable personne restait, restait, restait toujours; elle m'offrit de l'eau de Cologne et voulut elle-même m'en rafraîchir les tempes, pendant que moi je comptais les minutes, que ma pensée était pleine du jeune homme et que je cherchais un prétexte quelconque pour échapper à ces soins torturants. Et, plus je devenais inquiète, plus je lui paraissais suspecte : c'est presque avec rudesse que finalement elle voulut m'obliger à aller dans ma chambre et à me coucher.

Alors, au milieu de ces exhortations, je regardai soudain la pendule qui était au milieu du hall : il était sept heures vingt-huit et le train partait à sept heures trente-cinq. Brusquement, d'un trait, avec la brutale indifférence d'une désespérée, je tendis la main à ma cousine, sans autre explication, en disant :

— Adieu, il faut que je parte.

Et sans me soucier de son regard de stupéfaction, sans me retourner, je me précipitai vers la porte de sortie, sous les yeux étonnés des domestiques et puis je courus dans la rue et vers la gare.

A la gesticulation animée du commissionnaire qui attendait là avec les bagages, je compris déjà de loin qu'il était grand temps. Avec une fureur aveugle je m'élançai vers la grille d'accès au quai, mais là l'employé m'arrêta. J'avais oublié de prendre mon billet. Et pendant que, presque avec violence, j'essayais de l'amener à me laisser malgré tout aller jusqu'à la voie, le train se mettait déjà en marche : je regardai fixement, en tremblant de tous mes membres, pour saisir au moins encore un regard, de l'une des fenêtres des wagons, au moins un geste d'adieu, un salut. Mais, par suite de la marche rapide du train, il ne m'était plus possible d'apercevoir son visage. Les voitures roulaient toujours plus vite et, au bout d'une minute, il ne resta plus devant mes yeux obscurcis qu'un nuage noir et fumeux.

Sans doute je restai là comme pétrifiée. Dieu sait combien de temps, car le commissionnaire m'avait vainement adressé la parole à plusieurs reprises avant d'oser toucher mon bras. Ce dernier geste me fit tressauter de frayeur. Il me demanda s'il devait remporter les bagages à l'hôtel. Il me fallut quelques minutes pour me ressaisir; non, ce n'était pas possible: après ce départ ridicule et plus que précipité, je ne pouvais plus y revenir (et c'était bien là également mon désir), jamais plus. Aussi, impatiente d'être seule, je lui ordonnai de mettre les bagages à la consigne.

Ce n'est qu'ensuite, au milieu de la cohue, sans cesse renouvelée, des gens qui se pressaient bruyamment dans le hall et dont le nombre peu à peu diminua, que j'essayai de réfléchir, de réfléchir avec clarté aux moyens d'échapper à cette douloureuse et atroce obsession de colère, de regret et de désespoir, car (pourquoi ne pas l'avouer?) l'idée d'avoir, par ma propre faute, manqué cette rencontre suprême déchirait mon être, avec une acuité brûlante et impitoyable. J'aurais presque crié, tellement me faisait mal cette lame d'acier chauffée à blanc qui pénétrait en moi, toujours plus implacable.

Seuls peut-être des gens absolument étrangers à la passion connaissent, en des moments tout à fait exceptionnels, ces explosions soudaines d'une passion semblable à une avalanche ou à un ouragan : alors des années entières de forces non utilisées se précipitent et roulent dans les profondeurs d'une poitrine humaine. Jamais auparavant je n'avais éprouvé une telle surprise et une telle fureur d'impuissance qu'en cette seconde où, prête à toutes les extravagances (prête à jeter d'un seul coup dans l'abîme toutes les réserves d'une vie bien administrée, toutes les énergies contenues et refoulées jusqu'alors), je rencontrai soudain devant moi un mur stupide, contre lequel ma passion venait inutilement buter.

Ce que je fis ensuite ne pouvait être égale-

ment que stupide : c'était une folie, même une
bêtise, j'ai presque honte de le raconter (mais
je me suis promis et je vous ai promis de ne rien
vous céler)... je... cherchai à le retrouver, c'est-
à-dire j'essayai d'évoquer chaque moment que
j'avais passé avec lui... J'étais attirée furieuse-
ment vers tous les endroits où, la veille, nous
avions été ensemble, vers le banc du parc d'où
je l'avais entraîné, vers la salle de jeu où je
l'avais vu pour la première fois, et même jusque
dans cet hôtel borgne, simplement pour revivre
encore une fois, encore une fois, le passé. Et, le
lendemain, je voulais parcourir en voiture le
même chemin le long de la Corniche, afin que
chaque parole, chaque geste pût encore une
fois revivre en moi. Tellement insensé, tellement puéril était le désordre de mon esprit !
Mais songez que ces événements s'étaient
abattus sur moi comme la foudre : je n'avais
guère senti autre chose qu'un coup brusque,
un coup unique, qui m'avait étourdie. Mais
maintenant, brutalement sortie de ce tu-

multe, je voulais encore une fois revivre, pour
en jouir rétrospectivement, trait à trait, ces
émotions fugitives, grâce à cette façon magique
de se tromper soi-même que nous appelons le
souvenir... A vrai dire, ce sont là des choses
que l'on comprend ou que l'on ne comprend
pas. Peut-être faut-il avoir un cœur brûlant,
pour les concevoir.

Ainsi je me rendis d'abord dans la salle de
jeu, pour chercher la table où avait été sa place
et pour y revoir, par l'imagination, parmi
toutes ces mains, les siennes. J'entrai : la table
où je l'avais aperçu pour la première fois était,
je le savais encore, celle de gauche, dans le
second salon. Chacun de ses gestes était resté
présent à mon esprit avec netteté : comme une
somnambule, les yeux fermés et les mains ten-
dues, j'aurais retrouvé sa place. J'entrai donc
et je traversai aussitôt la salle. Et là... lorsque,
après avoir franchi la porte, mon regard se fut
tourné vers cette foule bruyante... il se produisit quelque chose de singulier... Là, exacte-

ment à l'endroit que je m'étais représenté, là,
il se trouvait assis (hallucination due à la
fièvre !)... lui-même, en personne... Lui... lui...
exactement tel que je venais de le voir en
songe... exactement tel qu'il était la veille, les
yeux fixement dirigés sur la boule, blème
comme un spectre... mais lui... lui... indéniablement lui...

Je fus sur le point de crier, si grand était mon
effroi. Mais je contins ma frayeur devant cette
vision insensée et je fermais les yeux.

— Tu es folle... tu rèves... tu as la fièvre, —
me disais-je. — C'est absolument impossible,
tu es hallucinée... il est parti d'ici en chemin de
fer, il y a une demi-heure.

Alors je rouvris les yeux. Mais, spectacle
terrifiant, exactement comme tout à l'heure, il
était assis là en chair et en os, indéniablement...
J'aurais reconnu ces mains-là parmi des millions d'autres... Non, je ne rêvais pas, c'était bien
lui. Il n'était pas parti, comme il me l'avait promis. L'insensé était resté ; il avait porté ici, au

tapis vert, l'argent que je lui avais donné pour
rentrer chez lui et, complètement oublieux de
lui-même, dans sa passion il était venu le jouer
à cette table, tandis que désespérément mon
cœur se brisait pour essayer de le retrouver.

Un sursaut de tout mon être me poussa en
avant... La fureur remplit mes yeux, une
fureur enragée, dans laquelle je voyais rouge,
un désir furieux de saisir à la gorge le parjure
qui avait si misérablement trompé ma confiance,
mon sentiment, mon dévouement. Mais je me
contraignis encore. Avec une lenteur voulue
(quelle énergie ne me fallut-il pas pour cela !)
je m'approchai de la table, juste en face de lui ;
un monsieur me fit place poliment. Deux
mètres de drap vert étaient entre nous deux et
je pouvais, comme au théâtre du haut d'un
balcon, observer tout à mon aise son visage, ce
même visage que deux heures auparavant
j'avais vu rayonnant de gratitude, illuminé par
l'auréole de la grâce divine et qui, maintenant,
était redevenu la proie frémissante de tous

les feux infernaux de la passion. Les mains,
ces mains que cet après-midi encore j'avais vues
étreindre pour le plus sacré des serments le bois
du prie-Dieu, elles agrippaient à présent de
nouveau, en se crispant, l'argent qui était autour d'elles, comme des vampires luxurieux.
Car il avait gagné, il devait avoir gagné une
forte, très forte somme : devant lui luisait
un amas confus de jetons, de louis d'or et de
billets de banque, un pêle-mêle de choses pla-
cées n'importe comment, dans lesquelles les
doigts, ses doigts nerveux et frémissants, s'a-
longeaient et se plongeaient avec volupté. Je
les voyais tenir et plier en les caressant les
divers billets, retourner et palper amoureuse-
ment les pièces de monnaie et ensuite, brusquement, en saisir une poignée et la jeter sur l'un
des carrés. Et aussitôt les narines recommen-
çaient à frémir par intervalles ; l'appel du
croupier détournait du tas d'argent ses yeux
brillants de cupidité, qui suivaient le mouvement furibond de la boule et il semblait que

son âme allait se répandre hors de lui-même,
tandis que ses coudes paraissaient littéralement
cloués au tapis vert. Son état d'individu entièrement possédé par la folie du jeu était, pour
moi, encore plus terrible et plus effrayant que
la veille, car chacun de ses mouvements assas-
sinait en moi l'image, qui brillait comme sur
un fond d'or, que j'avais emportée crédule-
ment dans mon être.

Nous étions ainsi, à deux mètres l'un de
l'autre. Je le regardais fixement sans qu'il
s'aperçut de ma présence. Il ne levait les yeux
ni sur moi ni sur personne ; son regard glissait
seulement du côté de l'argent et il vacillait avec
inquiétude en observant la boule qui roulait :
ce cercle vert et furibond accaparait tout ses
sens, qui haletaient en suivant le jeu. Le monde
entier, l'humanité entière s'étaient fondus, pour
lui, dans ce carré de drap tendu. Et je savais
que je pourrais rester là des heures et des heures
sans qu'il se doutât seulement de ma présence.

Mais je ne pus plus y tenir davantage ; dans

une brusque résolution je fis le tour de la table, j'allai derrière lui, et ma main saisit brusquement son épaule. Son regard chavira ; pendant une seconde, il me dévisagea, les prunelles vitreuses et comme quelqu'un qu'on ne connaît pas, absolument pareil à un ivrogne qu'on a de la peine à secouer de son sommeil et dont les yeux sont encore brouillés par les vapeurs grises et fumeuses qu'il y a en lui. Puis il sembla me reconnaître ; sa bouche s'ouvrit en tremblant ; il me regarda d'un air heureux et balbutia tout bas avec une familiarité où il y avait à la fois de l'égarement et du mystère :

— Ça marche bien... Je l'ai senti tout de suite en entrant et en voyant qu'*il* était là... je l'ai senti tout de suite...

Je ne compris pas ce qu'il voulait dire. Je remarquai seulement que le jeu l'avait enivré, que cet insensé avait tout oublié, son serment, son rendez-vous, l'univers et moi. Mais même dans cet état de possession démoniaque, la lueur d'extase qu'il venait d'avoir en me voyant était si séduisante que, malgré moi, je suivis le mouvement de ses paroles et que je lui demandai avec intérêt de qui il voulait parler.

— Du vieux général russe qui est là, qui n'a qu'un bras, — murmura-t-il, en se pressant tout contre moi pour que personne n'entendît le secret magique. — Là, celui qui a des côtelettes blanches et un laquais derrière lui. Il gagne toujours, hier déjà je l'ai remarqué. Il a sans doute un système, et je joue toujours comme lui... Hier aussi il a toujours gagné, seulement j'ai commis la faute de continuer à jouer lorsqu'il est parti : ce fut ma faute... Hier il doit avoir gagné vingt mille francs, et aujourd'hui aussi il gagne chaque fois... maintenant je mise toujours d'après lui... Maintenant...

Au milieu de sa phrase, il s'interrompit brusquement, car le croupier cria son ronflant « Faites vos jeux ! » Et le regard du jeune homme se porta lourdement de côté, dévorant la place où était assis, grave et paisible, le Russe à barbe blanche, qui posa avec circonspection d'abord une pièce d'or, puis, après un moment d'hésitation, une seconde sur le quatrième carré. Aussitôt les mains brûlantes qui étaient devant moi plongèrent dans le tas d'argent et jetèrent une poignée de pièces d'or au même endroit. Et lorsque, une minute après, le croupier cria « zéro ! » et que son râteau balaya d'un seul mouvement tournant toute la table, le jeune homme regarda stupéfait, comme si c'eût été un miracle, tout cet argent qui s'en allait. Vous penserez peut-être qu'il s'était retourné vers moi : non, il m'avait complètement oubliée ; j'étais disparue, perdue, effacée de son existence ; tous ces sens exacerbés étaient fixés sur le général russe, qui, complètement indifférent, tenait dans sa main deux nouvelles pièces d'or, incertain encore du numéro sur lequel il les placerait.

Je ne saurais vous décrire mon amertume, mon désespoir. Mais vous pouvez vous imaginer ce que je ressentais ; pour un homme à qui l'on a donné toute sa vie, n'être pas plus qu'une

mouche, qu'une main indolente chasse avec
lassitude ! De nouveau une vague de fureur
enragée passa sur moi. J'étreignis son bras avec
tant de violence qu'il se leva brusquement.

— Vous allez aussitôt quitter ce lieu ! — lui
murmurai-je tout bas, mais d'un ton d'autorité. — Rappelez-vous le serment que vous
avez fait aujourd'hui dans l'église, misérable
parjure que vous êtes !

Il me regarda, touché par mes paroles et tout
pâle. Ses yeux prirent soudain l'expression d'un
chien battu. Ses lèvres tremblèrent. Il sembla se
rappeler brusquement tout le passé, et on eût
dit qu'il avait horreur de lui-même.

— Oui... oui..., — bégaya-t-il. — O mon
Dieu, mon Dieu... Oui... je viens, pardonnez-
moi...

Et déjà sa main rassemblait tout l'argent,
d'abord rapidement, avec des mouvements
larges et énergiques, mais ensuite avec une
indolence de plus en plus grande, et comme s'il
eût été retenu par une force contraire. Son

regard était retombé sur le général russe, qui précisément était en train de miser.

— Un moment encore... — fit-il en jetant rapidement cinq pièces d'or sur le même carré. Rien que cette seule partie... Je vous jure qu'ensuite je m'en irai... Rien que cette seule partie... Rien que...

Et de nouveau sa voix expira. La boule avait commencé à rouler, l'emportant dans son mouvement. De nouveau le possédé venait de m'échapper, il s'était échappé à lui-même, entraîné par la giration de la boule minuscule qui sautait et bondissait dans la cuvette polie.

Le croupier cria un numéro ; le râteau agrippa devant lui les cinq pièces d'or ; il avait perdu. Mais il ne se retourna pas. Il m'avait oubliée, ainsi que son serment, ainsi que la parole qu'il venait de me donner il n'y avait qu'une minute. Déjà sa main avide plongeait en se crispant dans le tas d'argent diminué, et son regard ivre était entièrement accaparé par son vis-à-vis porte-bonheur qui magnétisait sa volonté.

Ma patience était à bout. Je le secouai encore une fois, mais maintenant avec violence :

— Levez-vous immédiatement ! A l'instant même... vous avez dit que ce serait la dernière partie...

Alors se produisit quelque chose de tout à fait inattendu. Il se retourna soudain ; le visage qui me regardait maintenant n'était plus celui d'un homme humble et confus, mais celui d'un furieux, d'un être possédé par la colère, dont les yeux brûlaient et dont les lèvres frémissaient de rage.

— Fichez-moi la paix ! — s'écria-t-il félinement. — Allez-vous-en ! Vous me portez malheur. Toujours, quand vous êtes là, je perds. Ç'a été le cas hier, et aujourd'hui encore. Allez-vous-en !

Je fus un moment comme sidérée. Mais ensuite, devant sa folie, ma colère déborda.

— Je vous porte malheur ? — l'apostrophai-je. — Menteur, voleur, vous qui m'avez juré !...

Mais je m'arrêtai là, car l'enragé bondit de sa place et me poussa en arrière, indifférent au tumulte qui s'élevait.

— Fichez-moi la paix, — s'écria-t-il d'une voix forte, sans aucune retenue. Je ne suis pas sous votre curatelle... Voici, voici... voici votre argent, — et il me jeta quelques billets de cent francs... Mais maintenant laissez-moi tranquille.

Il avait crié cela tout haut, comme un fou, indifférent à la présence des centaines de gens qui étaient autour de lui. Tout le monde regardait, chuchotait, insinuait des choses, riait, et même de la salle voisine s'approchaient de nombreux curieux. Il me semblait que l'on m'arrachait mes vêtements et que j'étais là toute nue devant ces gens pleins de curiosité.

— Silence, Madame, s'il vous plaît ! — dit d'une voix forte et autoritaire le croupier, en frappant sur la table avec son rateau. C'était à moi que s'adressaient les paroles de ce misérable. Humiliée, couverte de honte, j'étais là exposée à cette curiosité murmurante et chuchotante, comme une prostituée à qui l'on vient de donner de l'argent. Deux cents, trois cents yeux insolents étaient là à me dévisager. Et... comme, en m'écartant, courbant le dos sous cette averse immonde d'humiliation et de honte, je tournais les regards de côté, voici que devant moi je rencontrai deux yeux que la surprise rendaient presque hagards. C'était ma cousine qui me regardait d'un air égaré, la bouche ouverte et la main levée comme sous l'effet de la terreur.

Cela me donna comme un coup de fouet : avant qu'elle eût pu bouger, se remettre de sa surprise, je me précipitai hors de la salle ; j'eus encore assez de force pour aller tout droit jusqu'au banc, au banc sur lequel la veille ce possédé s'était effondré. Et, aussi faible, aussi épuisée et brisée que lui, je me laissai tomber sur le bois dur et impitoyable.

Il y a maintenant vingt-quatre ans de cela, et cependant, quand je pense à ce moment où j'étais là, fustigée par ses insultes, sous les yeux de mille étrangers, mon sang se glace dans mes veines. Et je sens de nouveau avec effroi quelle substance faible, misérable et lâche doit être ce que nous appelons, avec emphase, l'âme, l'esprit, le sentiment, la douleur, puisque tout cela, même à son plus haut paroxisme, est incapable de briser complètement le corps qui souffre, la chair torturée, — puisque, malgré tout, le sang continue de battre et que l'on survit à de telles heures, au lieu de mourir et de s'abattre, comme un arbre frappé par la foudre.

La douleur ne m'avait rompu les membres que pour un moment, le temps de recevoir le choc, de sorte que je tombai sur ce banc, ne respirant plus, à bout de souffle et ayant, pour ainsi dire, l'avant-goût voluptueux de ma mort fatale. Mais, je viens de le dire, toute souffrance est lâche : elle recule devant la puissance du vouloir-vivre, qui est ancré plus fortement dans notre chair que toute la passion de la mort ne l'est dans notre esprit.

Chose inexplicable à moi-même, après un tel

écrasement des sentiments, malgré tout je me relevai, à vrai dire sans savoir que faire. Et soudain je me rappelai que mes malles étaient à la gare : dès lors je n'eus plus qu'une pensée : partir, partir, partir d'ici, simplement partir, loin de cet établissement maudit, de cet établissement infernal. Je courus à la gare sans faire attention à personne ; je demandai l'heure du premier train pour Paris ; à dix heures, me dit l'employé, et aussitôt je fis enregistrer mes bagages.

Dix heures : il y avait donc exactement vingt-quatre heures depuis cette affreuse rencontre ; vingt-quatre heures tellement remplies par la tempête bouleversante des sentiments les plus étranges que mon âme en était brisée pour toujours. Mais d'abord je ne sentis qu'une unique parole dans ce rythme éternellement martelé et vibrant : partir ! partir ! partir ! Les pulsations de mes tempes, enfonçaient sans cesse comme un coin ce mot-là dans ma tête : partir ! partir ! partir ! Loin de cette ville, loin de moi-même, rentrer chez moi, retrouver les miens, ma vie d'autrefois, ma vie véritable !

Je passai la nuit dans le train, j'arrivai à Paris ; là, j'allai d'une gare à l'autre et directement je gagnai Boulogne, puis je me rendis de Boulogne à Douvres, de Douvres à Londres et de Londres chez mon fils, tout cela avec la rapidité d'un vol, sans réfléchir, sans penser à rien, pendant quarante-huit heures, sans dormir, sans parler, sans manger ; quarante-huit heures pendant lesquelles toutes les roues ne faisaient que répéter en grinçant ce mot-là : partir ! partir ! partir ! partir.

Lorsque, enfin, sans être attendue par personne, j'entrai dans la maison de campagne de mon fils, tout le monde eut un mouvement d'effroi : il y avait sans doute dans mon être, dans mon regard, quelque chose qui me trahissait. Mon fils s'avança pour m'embrasser, j'eus un mouvement de recul devant lui : la pensée m'était insupportable qu'il touchât des

lèvres que je considérais comme souillées. J'é-
cartai toute question. je demandai seulement un
bain, car c'était un besoin pour moi de purifier
mon corps (abstraction faite de la crasse du
voyage) de tout ce qui paraissait encore y rester
attaché de la passion de ce possédé, de cet
homme indigne. Puis, je me traînai jusque dans
ma chambre et je dormis pendant douze ou qua-
torze heures d'un sommeil de bête ou de pierre,
comme je n'en ai jamais eu ni avant, ni depuis,
un sommeil qui m'a appris ce que c'est que
d'être couché dans un cercueil et d'être mort.
Mes parents s'inquiétaient pour moi, comme
pour une malade. Mais leur tendresse ne réus-
sissait qu'à me faire mal ; j'avais honte ; j'étais
honteuse de leur respect, de leur prévenance,
et il fallait sans cesse que je me surveillasse
pour ne pas crier soudain combien je les avais
tous trahis, oubliés, presque abandonnés, sous
le coup d'une passion folle et insensée.

Ensuite, je me rendis au hasard dans une
petite ville française où je ne connaissais per-

sonne, car j'étais poursuivie par l'obsession que
tout le monde pouvait, à mon aspect, au premier coup d'œil, s'apercevoir de ma honte et de
mon changement, tellement je me sentais
trahie et salie jusqu'au plus profond de l'âme.
Parfois, en m'éveillant le matin, dans mon lit,
j'avais une crainte terrible d'ouvrir les yeux.
Le souvenir m'assaillait brusquement de cette
nuit où je m'éveillai soudain à côté d'un inconnu, d'un homme demi-nu, et alors, tout
comme la première fois, je n'avais plus qu'un
seul désir, celui de mourir aussitôt.

Malgré tout, le temps a un grand pouvoir,
et l'âge amortit de façon étrange tous les sentiments. On sent qu'on est plus près de la mort;
son ombre tombe noire sur le chemin; les
choses paraissent moins vives, elles n'affectent
plus autant les parties profondes de l'être et
elles perdent beaucoup de leur puissance dangereuse. Peu à peu, je me remis du choc éprouvé;
et quand, de longues années après, je rencontrai
un jour dans une société l'attaché de la légation

d'Autriche, un jeune Polonais, et qu'à une question que je lui posai sur la famille de l'homme dont j'avais partagé la couche une nuit, il me répondit que l'un des membres, son cousin, précisément, s'était suicidé, dix ans auparavant, à Monte-Carlo, je ne sourcillai même pas. Cela ne me fit aucun mal : peut-être même (pourquoi nier son égoïsme), cela me fit du bien, car ainsi disparaissait tout danger de le rencontrer encore : je n'avais plus contre moi d'autre témoin que mon propre souvenir. Depuis je suis devenue plus paisible. Vieillir n'est, au fond, pas autre chose que n'avoir plus peur de son passé.

Et maintenant, vous comprendrez pourquoi je me suis décidée brusquement à vous raconter ma destinée. Lorsque vous défendiez Mme Henriette et que vous souteniez passionnément que vingt-quatre heures pouvaient changer complètement la vie d'une femme. je me sentis moi-même visée par ces paroles : je vous étais reconnaissante parce que, pour la première fois, je me voyais, pour ainsi dire, justifiée, et alors j'ai pensé que peut-être, en libérant mon âme par l'aveu, le lourd fardeau et l'éternelle obsession du passé disparaîtraient et que, demain, il me serait peut-être possible de revenir là-bas et de pénétrer dans la salle où j'ai rencontré ma destinée, sans avoir de haine ni pour lui, ni pour moi. Alors la pierre qui pèse sur mon âme sera soulevée, elle retombera de tout son poids sur le passé, qu'elle maintiendra comme dans un caveau, en empêchant qu'il ne se réveille.

Ç'a été un bonheur pour moi d'avoir pu vous raconter cela. Je suis maintenant soulagée et presque joyeuse... Je vous en remercie.

A ces mots je m'étais levé soudain, voyant qu'elle avait fini. Avec un peu d'embarras, je cherchai à dire quelque chose, mais elle s'aperçut sans doute de mon dessein et rapidement elle coupa court :

— Non, je vous en prie, ne parlez pas... Je ne voudrais pas que vous me répondiez ou me

178

disiez quelque chose... Soyez remercié de m'avoir écoutée, et faites bon voyage.

Elle était debout en face de moi et elle me tendit la main, en manière d'adieu. Involontairement, je regardai son visage, et c'était une chose singulièrement attendrissante que l'aspect de la figure de cette vieille femme qui était là devant moi, affable et en même temps légèrement gênée. Etait-ce le reflet de la passion éteinte ? Etait-ce la confusion, qui soudain colorait d'une rougeur inquiète et croissante ses joues jusqu'à la hauteur de ses cheveux blancs ? Toujours est-il qu'elle était là comme une jeune fille, pudiquement troublée par le souvenir et rendue honteuse par son propre aveu. Emu malgré moi, j'éprouvai un vif désir de lui témoigner par une parole ma déférence. Mais mon gosier se serra. Et je ne pus que m'incliner profondément et baiser avec respect sa main fanée, qui tremblait légèrement comme le feuillage d'automne.

Table des matières